D0658128

LE VIEUX DU BAS-DU-FLEUVE

DU MEME AUTEUR

CHEZ LE MEME EDITEUR:

Les Yeux D'orage (Contes et nouvelles), 1978

En collaboration:

Personnalités de Rivière-du-Loup, 1977
Biographies de l'Isle-Verte, 1978 (Epuisé)

CHEZ D'AUTRES EDITEURS:

Treize, suivi de Ophelia, Editions Viking, 1965 (Epuisé)
La Cantilène à mon Québec, Editions Laliberté, 1974

EN PREPARATION:

Le livre du bonheur (Essai)
Monferrand (Roman historique)
La Cousine des Etats (Théâtre)

Richard Levesque

LE VIEUX DU BAS-DU-FLEUVE

roman

EDITEUR: Castelriand inc.

Les personnages et les événements de ce roman sont fictifs et toute ressemblance avec des personnes vivantes ou décédées ou avec des situations actuelles ou passées ne pourraient être que pure coïncidence.

L'illustration de la couverture est de: Michel Caillouette.

Dépôt légal
4ième trimestre 1979
Bibliothèque nationale du Québec
Bibliothèque nationale d'Ottawa
ISBN 2 - 89025 - 034 - 2

A tous ceux qui, comme le Vieux,
sont encore jeunes pour longtemps ...

AVANT-PROPOS

Je suis arrivé chez eux vers la fin de l'après-midi. Le curé m'avait indiqué l'itinéraire avec un grand luxe de détails, et dès le premier coup d'oeil je fus certain de ne pas m'être trompé d'endroit. La maison me plaisait, avec son air de confort tranquille, ses arbres tout autour et le potager à l'arrière; une maison cossue, construite sans doute vers les années 1920, à une époque où les menuisiers avaient l'orgueil de leur travail et où les cloisons étaient autre chose qu'un assemblage de fragilités.

Je suis entré, je me suis présenté, j'ai expliqué le but de ma visite. Le Vieux, un grand homme sec aux yeux pétillants et aux mains énormes, a hoché doucement sa tête blanche. Alors la Vieille, une grosse et grande femme au sourire très doux, m'a fait asseoir et m'a bourré de soupe aux pois, de ragoût de pattes de porc et de pouding à la rhubarbe. Je pense que je n'avais jamais si bien mangé de ma vie; et pourtant je voyais bien que pour eux il s'agissait d'un repas ordinaire ...

Le Vieux n'a rien dit pendant le repas. Il me regardait souvent, comme pour me jauger. La Vieille, elle, babillait gentiment, s'excusant de la pauvreté (?) de son souper, expliquant qu'elle n'attendait pas la visite d'un "monsieur de la ville", se réjouissant de me voir m'empiffrer comme un affamé. Je me sentais tout drôle, comme transporté dans un autre monde ou dans une autre époque; pourtant la pièce était meublée plutôt à la moderne: un téléviseur (fermé) trônait dans un coin, et le ragoût de pattes mijotait sur la plus fonctionnelle des cuisinières électriques. Mais il y avait dans cette maison une atmosphère que je n'avais jamais connue; un calme, une assurance, une impression... comment dirais-je? de sécurité, de pérennité.

C'est comme si j'avais été isolé dans une île temporelle. Ne me demandez pas pourquoi, mais j'étais heureux. Tout simplement. Tout bêtement.

Après le souper, quand le Vieux eut dit les "Grâces" comme il avait récité le "Benedicite" avant de s'asseoir à table —avec la même voix profonde et sur le visage le même air de pieuse reconnaissance— j'ouvris la bouche pour proposer à la Vieille de l'aider à faire la vaisselle. Mais la phrase est morte sur mes lèvres; j'ai senti que ç'aurait été une gaffe. Alors j'ai suivi le Vieux dehors, et nous avons fumé en silence, lui une courte pipe toute noircie et moi quelques cigarettes, en regardant le soleil rougi miroiter sur le fleuve et en écoutant les oiseaux se chamailler dans les érables.

Puis nous sommes rentrés. La cuisine était propre comme un sou neuf, la Vieille avait changé de robe et elle finissait d'ajuster sur son chignon un ridicule petit chapeau vert et noir. Elle a souri, s'est excusée de devoir partir si vite, a expliqué qu'on l'attendait à une réunion spéciale des Dames Fermières et qu'elle reviendrait tard car justement ce soir-là elles allaient travailler aux étalages de confitures et de conserves pour l'Exposition agricole.

Alors nous sommes restés seuls, le Vieux et moi. Nous nous sommes assis confortablement sur des berceuses, il m'a demandé de lui expliquer encore ce que je désirais, puis finalement il a grommelé qu'il était prêt. J'ai branché le magnétophone, et il a commencé.....

PREMIER CHAPITRE

Ouais ... Pour dire le vrai, je sais pas trop par quel boutte commencer. Pis ça me gêne un peu, itou, de savoir que tu vas prendre ce que je vas te dire pour faire des articles dans ta gazette. Tu comprends, moé, j'ai pas usé ben ben des fonds de culottes sus les bancs des écoles, pis je sus pas le yable au courant des grands tarmes pis des patarafes d'écrivains. En tout cas! Je vas te jaser ça dans mes mots comme ça va me venir, pis si ça fait pas ton affaire de même t'auras ienqu'à arranger ça au meilleur de ta connaissance.

Bon! Pour en venir à ce que tu me demandes , toujours, je dirais en premier que nous autres, dans le Bas-du-Fleuve, on est du monde ben d'adon, ben recevants pis ben de bonne humeur la majorité du temps. Pis à part de d'ça on n'est pas trop trop sujettes à l'énarvement. On suit les saisons, on prend le temps de faire ce qu'on a à faire, pis on court pas tout le temps à hue pis à dia comme des queues de veaux. Ca fait que de coutume les ceusses des villes, comme toé, qui viennent par icitte, au commencement, y commencent par nous trouver fatigants parce qu'y trouvent qu'on se grouille pas vite; mais à la longue y finissent par trouver qu'on a raison. Quand y passent quèques semaines avec nous autres, c'est pas long qu'y prennent notre roule de vie; pis après ça, quand y retournent en ville, y trouvent ça dur.

Vois-tu, dans le fond, nous autres on profite de la vie. Vous autres, dans les villes, vous en profitez pas pantoute: vous la brûlez par les deux bouttes. C'est vrai! Toi le jeune, quand est-ce que tu t'arrêtes pour écouter chanter un oiseau ou ben pour guetter un bourgeon se rouvrir dans un arbre? Quand est-ce que tu t'assis, les pieds sus la bavette du poêle, pour jongler en fumant ta pipe ou ben pour jaser avec quèqu'un? Quand est-ce que tu laisses ton char dans le garage pis que tu marches à pieds, pour avoir le temps de r'garder autour de toé en t'en allant? Pis quand est-ce que tu t'arrêtes pour consoler un enfant qui braille ou ben pour donner un coup de main au gars qui répare sa clôture, ou ben tout simplement pour t'informer de la santé des gens que tu rencontres?

Pas souvent, hein?

Pis viens pas me dire que t'as pas le temps! Ca me met en calvette, moé, quèqu'un qui dit qu'y a pas le temps de vivre! Non, ce qui vous arrive, vous autres, dans les villes, c'est que vous êtes dôpés. Y vous semble que vous perdez votre temps quand vous courez pas, tandis que c'est le contraire: vous gaspillez votre temps à courir, au lieu de le prendre pour vivre.

C'est pour ça, manquablement, que vous êtes blêmes de même pis que vous êtes tout le temps sur les nerfs. Ca a pus de maudit bon sens. Moé je vous plains, franchement.

Probable que tu vas me répondre, comme les autres, que le temps c'est de l'argent pis que ce qui vous intéresse c'est de faire la piasse. Mais quand vous l'aurez faite, la piasse, vous allez faire quoi avec? J'en connais moé des gens des villes qui se sont démenés toute leu' vie comme des maudits braques pour se ramasser de l'argent. Rendus à soixante ans des fois y ont quèques piasses, mais seulement y ont pus un torrieu de poil sus la couverture, y ont des maladies de coeur pis des ulcères d'estomac, leu' femme est rendue une vieille chiâleuse, pis leu's enfants sont égarouillés d'un bord pis de l'autre. Ca fait qu'y ont de l'argent, mais y savent plus quoi faire avec. Y ont pus le goût de voyager, y ont pus la capacité de rien bâtir, y ont pas appris à profiter de la vie, ça fait qu'y sont vieux pis y s'ennuient.

Pis là y se disent: "Maudit qu'on a donc été fous de pas en profiter pendant qu'on était jeunes!" Pis là y pensent à toute ce qu'y auraient pu faire ... Si y auraient été fins pour cinq cennes, y l'auraient faite, pis au lieu de se ronger les sangs avec des regrets, y se désennuieraient sus leu's vieux jours avec des souvenances.

Aie! C'est pas des farces quand on pense à ça comme faut: dans les villes, t'as les deux extrémités; t'as du monde qui vivent sus la finance pis qui se doivent le darriére tout le temps de leu' vie, pis t'as d'autre monde qui ont de l'argent en masse mais qui vivent ienque pour en ramasser plusse pis qui s'aperçoivent qu'y en ont assez quasiment juste avant de mourir! C'est pas pour nous vanter, mais me semble que nous autres dans le Bas-du-Fleuve on a plus de jarnigoine que ça.

Nous autres on vit au jour le jour, on mange à notre faim, on dort tranquilles, on travaille quand c'est le temps pis quand c'est le temps on lâche notre fou. Pis surtout, on se presse pas. On a pour notre dire que ça donne rien de courir après l'avenir ou ben de rester accrochés au passé. On vit au jour le jour, mais seulement on vit, torrieu, on fait pas ienque passer. Nous autres, le temps on le tue pas. Pis on se tue pas à tuer le temps. Le temps, on vit avec. On vit dedans. On le suit.

Tu prends les saisons, par exemple; nous autres, icitte, on les sent. L'hiver, on se cabane à la chaleur; quand on sort, ben des fois, on marche en raquettes pour aller tendre des collets -les jeunes eux autres y marchent en skis, mais ça revient au même- on écoute le vent, on regarde la neige tomber pis poudrer; on a le temps de jongler pis de jaser. Des fois on se conte des peurs un petit brin, mais ça fait rien ... Pis quand y fait une grosse tempête, on reste à l'abri chez-nous, pis on se sent mauditement ben quand on r'garde à la télévision les filées de chars qui restent pris à Montréal ou ben à Québec.

Le printemps, on guette la neige qui fond pis qui tombe des couvartures, on attend la débâcle dans la riviére pis on regarde partir les glaces sus le fleuve. On s'en aperçoit quand les premiers bourgeons sortent, pis quand les feuilles commencent à être assez grosses pour faire de l'ombrage. On se fait du sucre du pays. On se fait des caches sus la grève pour tirer sus les bandes d'outardes, pis on sacre après les gardes-chasse.

L'été, on n'a pas besoin de s'en aller au yable vert, nous autres; les vacances, on les passe icitte, drette chez-nous. Pis faut crère qu'on est pas si fous que ça, parce qu'y a une torvisse de gagne de monde des villes qui viennent les passer icitte avec nous autres ...

L'été, c'est beau. Les sumences, l'odeur du foin

frais coupé dans les champs, les fruitages ... Moé j'ai toujours été aux fruitages: les fraises, pis les framboises, pis les beluets, les merises, les goèselles ... As-tu déjà mangé ça, toé, le jeune, une pognée de beluets que tu viens de ramasser dans la tourbe ou ben une pognée de framboises que tu viens de prendre du long d'une digue de roches?

Maudit que c'est bon!

Le monde auront beau inventer toutes les machines qu'y voudront pis toutes les frigidaires qu'y voudront, y pourront jamais consarver le vrai goût des fruitages frais qu'on ramasse nous autres mêmes dans le champs. Moé, c'est ben simple: j'en ramasse pour ma femme pour faire des confitures pis des tartes, comme de raison; mais je m'organise pour en manger en ramassant, parce que c'est là que c'est le meilleur.

L'été, y a la pêche, itou. Pas des grands enfants-de-chienne de voyages de pêche avec des gréments qui coûtent les yeux de la tête, non; une ligne, un hin, une cale de plomb ou ben une vieille vis, pis tu te coupes une parche dans les saint-michel le long d'la riviére, pis t'appâtes avec des anchès. Je te dis pas qu'on pogne des baleines avec ça, mais je t'en passe un papier que ça mord pis qu'on a du fonne.

C'est vrai qu'astheure c'est pus comme avant: les gardes-pêches sont rendus comme des mouches à marde, torrieu! Tu mets le pied dans la riviére pis t'as pas encore la sumelle mouillée qu'y sont auras toé pour te compter tes truites à mesure que t'en pognes! ...

En tout cas!

Pis l'automne, c'est pareil: les récoltes, les noisettes, la chasse, toute ... Pense pas que c'est pas bon, une belle grosse tomate fraîche que tu casses toé-même dans le jardin, que tu passes à l'eau frette pis que tu manges drette là ...

Non, je te le dis, nous autres, les saisons on les suit, on les connaît, pis on en profite à mesure qu'y passent. On tue pas le temps. Pis on essaie qu'y nous tue pas trop vite lui non plus ...

Mais je me demande si tu me comprends à mesure que je te parle; toé, t'es venu au monde en ville pis t'as été élevé là, ça fait que tu dois déjà être dôpé. Pis tu dois te dire que je radote. Mais faudrait pas que ça te choque quand je parle des villes: c'est pas parce que j'haïs le monde qui sont pris là-dedans; c'est tout le contraire, je les plains plutôt. Pis toé, mon jeune, je sus ben content que t'aies pensé à venir faire ton ... Comment c'est que t'appelles ça, déjà? Ah! oui, ton interview ... Bon ben je sus ben content que t'aies pensé à venir faire ton interview icitte. P't'êt' ben que ça va te donner l'idée de lâcher la ville pis de venir t'installer à une place qui a du bon sens ...

DEUXIEME CHAPITRE

Ouais, comme je te le disais, nous autres, dans le Bas-du-Fleuve, de coutume on est des bons vivants. On a ben des problèmes, comme tout un chacun, pis comme tout le monde on trouve ça ben triste qu'y ait autant de problèmes partout; seulement nous autres on a un p'tit quèque chose, comme qui dirait une sorte d'indépendance, pis une espèce de sens de l'humour itou ... Ca fait que nos problèmes finissent tout le temps par se régler, veux, veux pas; pis les autres grands problèmes du monde, ben ça finit tout le temps que c'est pas notre problème.

C'est vrai: prends les Vietcong ou ben les Biafrais qui crèvent de faim, c'est çartain que c'est pas drôle; pis j'oserais pas dire que ça nous fait ni chaud ni frette. Mais de d'là à dire que c'est plus important pour nous autres que du beau temps dans le temps des récoltes, là! ...

Vois-tu, nous autres, on essaie autant que possible de pas trop trop se prendre pour d'autres. Pis moé, le gars qui vient me dire que les Biafrais l'empêchent de dormir, ben calvette je le crés pas. Ou ben ce gars-là est un grand missionnaire, ou ben un péteu de broue.

Pis les grands missionnaires, si tu veux dire comme moé, y en a pus ben ben de ce temps-citte!

Ah! Je te dis pas qu'on s'en occupe pas pantoute, des Biafrais pis des autres. A sa darniére quête, OXFAM a ramassé je sais pus comment de mille piasses par icitte. Pis moé le premier, j'ai donné mon deux, comme les autres. Mais à part de d'ça, que c'est que tu veux qu'on fasse? On n'est toujours ben pas pour brailler à journée longue! On n'est toujours ben pas pour prendre le bateau pis aller vivre avec eux-autres! Pis on n'est toujours ben pas non plus pour toute les importer par icitte, ces torrieux-là! Que c'est que tu veux qu'on fasse? Quand ben même qu'on s'énarverait avec ça, mon pauvre toé, c'est pas ça qui va les arranger, les Biafrais!

Pis viens pas me dire qu'on pourrait au moins donner plusse. Le gars qui donne sa paie pour les étranges pis qui s'en va quêter le sarvice social par après, moé j'ai pour mon dire que c'est un simonak de beau niaiseux!

Ah! pis arrêtons de parler de d'ça, ça me déprime. Après toute, on en a des problèmes nous autres itou, pis on sait ben que c'est pas les Chinois pis les Vietnamiens qui vont venir nous les régler ...

Tiens justement, moé, j'en ai un problème de ce temps-citte, pis c'en est un pas pire à part de d'ça. Imagine-toé donc que ma fille, c'te p'tite torvisse-là, a veut lâcher son cégeup parce qu'un grand fanal d'annonceur y a dit qu'a serait bonne pour faire une carrière dans la chanson. Maudite histoire! Pis le pire, c'est qu'a le cré! Quand on pense que ça fait betôt vingt ans que j'élève ça dans la flanellette, que je nourris ça, que j'habille ça, que j'aime ça, pis que le premier tapette du bord y fait accrère des affaires de même!

C'est vré que c'est une belle fille un peu rare, ma Denise, pis qu'a chante ben. C'est le bébé de la famille, tu comprends, pis quand elle est venue au monde on commençait à avoir de l'âge ma femme pis moé. Ca fait qu'on l'a gâtée plusse que les autres, celle-là. On l'a toujours laissée chanter aux séances à la p'tite école, pis après on l'a faite rentrer dans la chorale du village. Même qu'une fois alle a chanté au radio, dans le programme des talents "Nouveaux". Ma femme pis moé, on aime ben ça l'écouter; mais faire une chanteuse pour tout de bon avec elle, là, c'est une autre paire de manches. Y a toujours ben des imites!

Les jeunes astheure, ça a pus de morale ni d'ambition; ça s'occupe pus de l'avenir qu'y vont avoir. Prends Denise, elle, a serait prête à se lâcher en grande: chante d'un bord, chante de l'autre, pis envoie donc! A s'imagine qu'a va gagner sa vie de même. On sait ben, y en a qui la gagnent de même leu' vie! ...

Mais tu parles d'une calvette de vie, itou! Ca se marie, ça se démarie, ça couche avec un pis avec l'autre, ça se montre tout nus sus les théâtres, ça boit, ben souvent ça a pas une cenne qui les adore ... Un vrai torrieu de monde de fous!

T'as ienqu'à regarder les gazettes de temps en temps: tout ce qu'y parlent, c'est untel a divorcé, untel autre s'est accoté, un autre s'est tiré une balle dans le front, pis c'est ienque de d'ça! Pis à part de d'ça, ienqu'à voir on voit ben: regarde leu' les accoutrements, aux artistes: y s'habillent ben souvent comme des maudits mi-carêmes. Y en a là-dedans, ma foi du bon Yeu, tu les vois arriver à la télévision pis y te font penser au grand Gérard quand y va faire son train!

Laisse-moé te dire que tant qu'à moé, y va couler de l'eau dessoure l'pont avant que Denise aille se fourrer là-dedans. Est ben au cégeup, ses notes sont bonnes, pis malgré que ça soit mêlé pas mal comme études, a va finir par finir son cours. Mais va donc raisonner ça! Ca a encore une galle sus le nombril, pis ça se pense pus fin que son pére!

En tout cas!

C'est bien sûr qu'y faut de toute pour faire un monde, pis que les artisses sont pas toutes pareils; y a des fous pis des fins dans tous les métiers. Seulement moé, quand c'est habillé comme la chienne à Jacques pis que ça change de teinture de cheveux à tout bout de champ, j'ai pas confiance. Je te dis que dans les artisses, y en a une maudite gagne que je leu' donnerais pas le bon Yeu sans confession. Pis y en a quèques-uns que je leu' donnerais pas quand ben même qu'y se confesseraient avant.

Mais c'est vré itou que d'un côté, c'est probablement pas tout le temps de leu' faute: pour faire la vie d'artisse, faut quasiment vivre à Montréal, pis Montréal, on sait ce que c'est! ...

Oui mon ti-gars, dans le Bas-du-Fleuve on n'a pas de métro ni d'Expo ni de Place des Arts ni de Mirabel, mais laisse-moé te dire que tant qu'à moé, moins vite qu'on va en avoir, pis mieux que ça va être. Moé je sus allé déjà à Montréal quèques fois, comme tout un chacun, pis je voudrais pas me voir pris pour passer plusse que deux-trois jours là-dedans!

C'est effrayant à Montréal! Ca court, ça crie, ça

pue, ça empeste, tu vois un arbre à toute les quarts de mille, pis ben souvent, passe-moé l'expression, mais t'as beau charcher y a même pas moyen de pisser, dans c'te maudite ville-là! Une fois, moé, je me sus retrouvé sus une rue à quèque part dans le nord, y avait pas de bécosses, pas de magasins ni de garages aux alentours, pis pas moyen de se déflayer sans que deux ou trois cents parsonnes te voient l'affaire ... J'étais toujours ben pas pour cogner à une porte pis dire que je voulais faire de l'eau, j'aurais faite rire de moé. Toujours que j'ai réussi à prendre un autobus pis je sus allé pisser à une station de métro. Les bécosses étaient sales pis ça sentait le dessoure de bras, mais quand t'as envie, t'as envie!

Pis une chance que j'avais pas envie de crotter par dessus le marché, parce que là j'aurais été obligé de payer, ma foi de piquette! La franche carabine, mon gars! Dans les bécosses, à Montréal, y ont des portes qui barrent pis faut que tu mettes trente sous pour te rendre au trône. Quand j'ai vu ça, les deux bras m'en sont tombés. Je savais ben qu'aux jours d'aujourd'hui on n'a rien pour rien, mais j'aurais jamais pensé, bagatême de torrieu, qu'on n'était même pus capable de chier gratis, excuse le mot!

En tout cas!

Je sus pas capable de comprendre que du monde s'organisent pour s'en aller vivre à Montréal. Correct, t'as ben des magasins, des théâtres, des garages, ben des commodités. Mais tu paies pour en calvette. Le garçon de mon frére Clophas reste là, lui. Y travaille dans une manufacture. Ben sais-tu comment c'est qu'y paie en taxes? Quatorze cents piasses. Ris pas, c'est vré: quatorze cents piasses. Pis y a pas un château: une petite maison ben chienne, avec un garage grand comme ma main pis trois-quatre pieds carrés de gazon en avant de ça. C'est pas drôle, quand tu penses à ça comme faut. Regarde moé, j'ai une bonne maison, j'ai grand de terrain, pis ça me coûte cent soixante-et-deux piasses par année ...

Mais c'est pas toute: à Montréal tu paies pour passer sus le pont, tu paies pour parquer ton char, tu paies pour accrocher ton capot en rentrant dans le restaurant, tu paies téléphoner, tu paies pour toute! Jusque pour aller trôner, je te le dis.

Pis surtout, ce que je trouve le pire, c'est que t'as jamais la paix: les chars ça te passe chaque bord de toé à des vitesses de fou, les sirènes pis les criards ça crie à tout bout de champ, y a toujours quèqu'un dans tes jambes, pis en plusse ben souvent tu comprends rien! Y a autant d'Anglais que de Français, dans c'te maudite ville-là ... Pis les Français, des fois y te parlent pis tu sais pas ce qu'y veulent dire, y ont pas les mêmes parolies que par icitte pantoute.

La femme de mon n'veu, c'est une Canadienne comme toé pis moé, mais ma foi du bon Yeu la première journée que j'ai été chez eux a me parlait pis je comprenais pas la moitié de ce qu'a disait: a me disait que son mari travaillait à la "factrie", qu'a allait "caller" à la "grocerie" pour qu'y viennent y porter des "chops" pour souper; pis a me contait que sa fille faisait du "necking" dans un "flat" de la "main" toutes les soirs, pis toutes sortes d'affaires de même.

Une chance que je sus pas plus gnochon qu'un autre, j'ai fini par deviner pas mal ce qu'a voulait dire.

Mais j'ai dû passer pour colon, parce que par chez-nous on parle de manufactures, de téléphoner, d'épicerie, de côtelettes, pis excuse-moé de te le dire franc de même, mais quand une fille se fait pogner le cul tous les soirs dans la chambre d'un gars, ben simonak on dit qu'a se fait pogner le cul tous les soirs dans la chambre d'un gars!

Y disent qu'on parle joual, mais y peuvent ben aller sus le yable! C'est eux-autres qui parlent joual. Nous autres, dans le Bas, on parle français. P't'êt' ben qu'on se tortille pas la gueule vingt fois pour prononcer pointu comme Jean-Nouel, mais on parle avec des mots français.

En tout cas!

Aie! j'y pense, je t'ai rien offert pantoute ... Prendrais-tu une bonne ponge de gin, ou ben un p'tit verre de Miquelon? Pas de gêne, Clophas m'en a passé aux lignes v'la quinze jours, pis j'en ai un gallon pas entamé dans le garde-robe ... Cartain? T'aimerais mieux une biére, je gagerais? Pas tu-suite? Correct, d'abord. On va laisser descendre notre souper encore un peu, pis betôt je te ferai goûter à mon Miquelon.

INTERMEDE

Le Vieux était lancé, maintenant; il avait surmonté l'intimidante présence du micro, il ne fixait plus des yeux le ruban pourtant presque hypnotique dans son lent enroulement... Il me parlait à moi, et non plus au magnétophone.

Et à travers moi, c'est à toute ma génération, c'est à toute ma civilisation qu'il parlait. Et à travers lui, derrière cette image toujours un peu hiératique du vieillard sage et pondéré qui m'était apparue tout d'abord, je découvrais petit à petit toute la flamme , la verdeur, la santé, l'ironie, l'intensité, –et la force tranquille– d'une race que je croyais disparue mais qui existe encore en quelques-uns de ces vieux, et qui serait ma race peut-être si l'on m'avait mis entre les mains les manchons d'une charrue plutôt qu'une plume.

L'ombre entrait doucement par les fenêtres ouvertes sur le fleuve, l'air avait un peu fraîchi. Nous devions ressembler, le Vieux et moi, à l'une de ces gravures du siècle dernier illustrant les feuilletons dans lesquels le père donne à son fils d'excellents conseils que celui-ci s'empressera de ne pas suivre. A la vérité, je me sentais un peu lourd après l'énorme repas que je venais d'avaler, et je regrettais presque de n'avoir pas accepté tout de suite un verre d'eau-de-vie.

Mais l'offre impromptue du Vieux m'avait pris par surprise, et j'avais refusé de peur que, le temps de préparer des boissons, il ne perde le fil de son discours. Crainte superflue: le Vieux n'est pas homme à vous laisser dans le vague et dans le milieu d'une phrase ou d'un raisonnement.

CHAPITRE TROISIEME

Je te parlais de Montréal: moé la derniére fois que je sus allé là, c'était surtout pour voir jouer les Canadiens; mon n'veu m'avait trouvé un billet pour une joute contre Boston, pis j'aurais pas voulu manquer ça pour une terre en bois deboutte! -Parce que faut que je te dise: j'ai tout le temps pris les parties du Canadien au radio pis à la télévision, seulement je les avais jamais vus jouer en personne ...

Toujours qu'on rentre au Forum moé pis mon n'veu, on finit par trouver nos places, on s'assit, on se r'lève, ça chante O Canada, on s'rassit, pis ça commence. Ben laisse-moé te dire une affaire: assis au Forum on voit pas aussi ben qu'assis chez-nous d'vant la télévision. Quand la rondelle est dans ton boutte c'est pas pire, mais quand a s'promène dans l'autre boutte, tu vois rien. Mais y a une affaire, par exemple: au Forum, t'es pas dérangé à tout bout d'champ par les enfants de chienne de commanditaires!

En tout cas! La partie était pas pire. Lemaire a compté pour le Canadien, pis le grand Esposito a rentré deux points pour Boston. (Y jouait pour eux autres dans ce temps-là). Savard a joué une bonne partie, pis Cournoyer itou. Mais le meilleur, d'après moé, c'était encore Lafleur: y a compté un point pis y s'est ramassé trois assists. A la fin du compte je me sus pas trop ennuyé, j'ai ben aimé ma veillée. Mais c'était pas du hockey comme avant.

Tu te rappelles pas de d'ça, toé, le temps ousqu'y avait ienque six clubs dans la ligue nationale, le temps ousque Maurice Richard jouait avec Dickie Moore pis que Béliveau était sus la même ligue que Geoffrion ... Dans ce temps-là, Harvey était à la défense, Plante gardait les buts, pis ça force si Lafleur était au monde. Je te garantis que dans ce temps-là ça jouait, du hockey. Les gars gagnaient pas des cent mille piasses par année, mais y voulaient en calvette, par exemple. Je t'en passe un papier que les traineux pis les souffleux, y prenaient le bord des mineures ça prenait pas goût de tinette.

Astheure c'est rendu qu'y a assez d'équipes que t'es même pus capable de te rappeler le nom des joueurs, les gars gagnent des prix de fous, les finales durent quasiment jusqu'aux foins ... Mais le jeu est pus pantoute comme y était.

Je m'en rappelle, moé, dans les années '50, ça fait pas ben longtemps de ça; t'avais Détroit dans ce temps-là, avec Sawchuck dans les buts pis Gordie Howe, Ted Lindsay, Red Kelly ... Les finales contre Canadien, ça se jouait serré: pas des parties de 8 à 5 pis de 9 à 6. Ca finissait 1 à 0, 2 à 1, des affaires de même. Mais t'avais du jeu en simonak! Les gars tiraient pas la rondelle dans l'autre zone pour rien, pis quand y lançaient y prenaient la peine de viser!

Astheure tu vois ça, ça envoie la rondelle à l'autre boutte aussitôt qu'y l'ont sus leu' palette, ça lance dix pieds au côté des buts, ça se barre les pattes dans la ligne bleue ...

Ca a pas de bon sens non plus, ces maudites histoires d'expansions-là! J'sus çartain qu'y a des joueurs aujourd'hui dans la ligue nationale pis dans la ligue mondiale qu'en 1950 y auraient même pas été bons pour jouer dans les mineures. D'après moé les As de Québec pis même les Feuilles d'Erable de Rimouski, dans leu' bonnes années, y t'auraient battu les Nordiques pis les Washington d'astheure la queue sus la fesse!

Ah! C'est pas qu'y a pas de bons joueurs aux jours d'aujourd'hui. Seulement les bons joueurs sont neyés dans une gagne de pas bons, pis y gagnent assez cher qu'y se maudissent ben des entraîneurs pis des spectateurs. Astheure c'est ienque l'argent qui compte, pis les spectateurs y mangent de la crotte. C'est pas surprenant que les Russes viennent nous battre drette icitte au Forum.

J'sais pas si t'es comme moé, mais moé en tous cas j'ai eu honte en enfant de chienne.

Je me disais on n'a pas ben ben des bateaux, on n'a pas ben ben des avions, on n'a pas des ben ben grosses fusées, nos industries sont menées par les Américains, notre agriculture s'en va sus l'yable, mais au moins on a les meilleurs joueurs de hockey du monde. Je me disais: on a au moins ça.

Ben ça a d'lair qu'on n'a même pas ça, bagatême! C'est rendu que les communisses viennent nous faire la barbe jusqu'au hockey, quand on pense!

En tous cas moé quand j'avais ton âge j'ai joué du hockey, comme tout un chacun. C'était pas compliqué, nous autres: on se mettait des catalogues dans nos culottes pour se faire des protége-jambes, on avait des patins faites avec des lames que le forgeron taillait dans les vieilles oreilles de charrues pis qu'y vissait en dessoure d'une bonne paire de bottines, pis la plupart du temps on n'avait pas le moyen de se payer des rondelles pis des hockeys, ça fait qu'on jouait avec une crotte de joual gelée pis des bâtons qu'on se travaillait nous autres mêmes. Notre patinoire, c'était l'étang des castors sus la riviére: on grattait ça ben comme faut, pis ça faisait un maudit beau rond.

Une fois le vicaire avait organisé une équipe pour jouer contre le village d'en haut, pis y nous avait fourni chacun-un un vrai hockey. Moé je jouais à la défense. Je comptais pas des points souvent, mais je t'en passe un papier que le gars de l'autre club qui voulait me déjouer, fallait qu'y se lève de bonne heure. J'ai les bras longs, pis je m'en servais. On a quasiment tout le temps gagné nos parties contre l'autre village.

L'été, quand on avait le temps, on jouait de la boule. Du baseball, si t'aimes mieux. Là c'est pareil, on n'avait pas d'argent à mettre sus les gants pis sus l'équipement: le vicaire fournissait les boules pis les battes, pis le cordonnier nous avait taillé des gants dans du vieux cuir. Y rembourrait ça avec de l'étoupe. C'était pas comme des gants achetés, mais c'était pas pire pareil.

Moé j'étais moins bon à la boule qu'au hockey. Pour fesser j'étais pas pire, je la cognais pas mal loin; mais pour pogner j'étais pas yable. Le vicaire me faisait jouer au champ, pis ça arrivait des fois que j'échappais la maudite boule. Faut dire que le champ c'était pas du gazon, c'était un champ de pacage, pis quand on r'culait pour pogner la boule ça nous arrivait ben souvent de se barrer les pattes dans un trou de siffleux ou ben de prendre une glissette sus une bouse de vache ...

Ca empêche pas qu'on avait du fonne pareil. Je m'en rappelle qu'un bout de temps on a eu un maudit bon lanceur, un nommé Eddy Ouellette. La première fois qu'y est venu jouer avec nous autres, y avait jamais pris une boule de baseball dans ses mains, avant; seulement c'était un tireu de roches. Y était adrette en calvette! Y te ramassait une roche sus le bord du chemin, pis quasiment à tout coup y te cassait une fiole dans un poteau de téléphone. Le vicaire savait ça, c'est pour ça qu'y a dit à Eddy de venir jouer avec nous autres. Pis ça pas été long qu'Eddy est venu aussi adrette pour tirer des boules que pour garocher des roches.

En tous cas! Tout ça pour te dire que nous autres, quand on jouait à quèque chose, ça nous payait pas pantoute; ben souvent c'est le contraire. Mais je peux te garantir une affaire, par exemple: c'est que si y en a un de nous autres qui aurait été jouer contre des Russes, ben maudit on se serait arraché le coeur du corps plutôt que de les laisser gagner! On voulait se manger le darriére quand on se faisait battre par le club du village d'en haut, ça fait que figure-toé ben que si ça aurait été contre des communisses, on serait toutes morts drette là avant de pardre!

Moé je le dis encore une fois, j'ai eu la honte de ma vie en soixante et douze pis en soixante et quatorze quand nos grands flancs-mous se sont faite faire la barbe par les Russes au hockey. Pis essaie pas de me faire accrère que c'est parce que les Russes sont meilleurs que nous autres. La seule affaire qu'y a, c'est que les joueurs du Canada avaient pas assez de coeur dans le corps pis pas assez d'orgueil pour se tirer sus la glace à pleine capacité, torrieu. Y jouaient ça comme si ça aurait pas été de leu's affaires.

Le pus drôle là-dedans, c'est que les ceusses qui ont le mieux joué c'était les pus vieux, comme Gordie Howe, Tremblay, Bobby Hull, pis l'autre année Esposito pis Henderson. Les jeunes y en a qui ont ben du talent, mais y ont ienque ça. J'aurais ben voulu voir le vieux Maurice Richard là-dedans, moé. Maurice, ça c'en était un qui lâchait pas. Pis si les arbitres auraient voulu être trop voleurs, y aurait faite comme y a déjà faite une fois: y t'aurait étampé l'arbitre avec un bon coup de poing sus la gueule. Y a toujours ben des imites à se faire monter sus la tête par un simonak d'arbitre qui a pas les yeux en face des trous!

Nous autres une fois y a un gars de l'Ontario qui était venu icitte un été je sais pus pourquoi, pis le vicaire l'avait faite arbitrer une partie de boule. Ce grand maudit-là, y faisait exprès pour nous faire choquer. D'abord y parlait ienque anglais: des "strikes" pis des "play ball" pis des "men out" ... Un bon moment donné, mon Romuald Gagnon vole le troisième but, pis l'arbitre y dit qu'y est mort. Y était pas mort pantoute, ça faisait pas moins que cinq minutes qu'y avait le pied sus le but quand la boule est arrivée. Mais l'arbitre voulait pas comprendre ça, y a commencé à engueuler Romuald en anglais pis à faire des sparages; ça fait que Romuald a pas faite ni une ni deux, y lui a blasphèmé son poing en pleine face. L'anglais a revolé sus le cul aussi raide. Pis la joute a fini là, parce que le vicaire était pas ben ben de bonne humeur après Romuald. Mais s'impose pas que l'arbitre a mangé sa claque pareil. Pis les arbitres russes, y en a une couple que c'est ça que ça leu's'aurait pris pour s'apercevoir qu'y a pas ienque les joueurs du Canada qui méritaient des punitions des fois.

Ah! Pis on est aussi ben d'arrêter de parler de d'ça, parce que si on se met à parler des arbitres russes moé je vas venir en beau torrieu.

Tiens, prendrais-tu un coup de Miquelon, là? T'aimes autant une bière hein? Dis-lé, gêne-toé pas ... T'aimes mieux une bière? Correct. Attends-moé icitte. Je vas aller t'en chercher une dans la cave pis je vas me prendre une goutte de Miquelon pour t'accompagner ...

INTERMEDE

Il est parti —oh! pas longtemps, le temps que je change le ruban du magnétophone.

Quand il est revenu, il avait trois bouteilles sous le bras gauche et un cruchon de grès sous le bras droit, un tout petit verre dans la main droite et un gros ouvre-bouteilles dans la main gauche. Je n'ai pas remis le magnétophone en marche tout de suite, et il m'en a remercié d'un sourire. Il y a des bruits qui n'ont pas besoin d'être enregistrés.

Il a décapsulé une bouteille de bière et me l'a tendue, puis il s'est versé deux doigts de Miquelon; comme nous levions lui son verre et moi ma bouteille pour le traditionnel "salut!", il m'a fait un chaleureux clin d'oeil.

Il faisait presque tout à fait sombre, maintenant. Nous devions ressembler à d'étranges complices, le Vieux et moi ... et cette complicité me remplissait d'une inexplicable fierté.

Puis il m'a fait un signe de la main, j'ai appuyé sur les boutons de la machine, et il a enchaîné: ...

CHAPITRE QUATRIEME

Changement de sujet, je pense ben qu'on va ben avoir des élections prochainement. Ca c'est encore une moyenne enfant de chienne de gamique, les élections. Ca me fait penser au hockey justement: plusse que les gars patinent, plusse qu'y ont des chances de gagner. Pis quand y manquent leu' coup au fédéral, y font comme les joueurs de hockey, y changent de ligue, y viennent se r'présenter au provincial. Pis quand y manquent leu'coup là itou, y s'en vont dans les mineures pis y s'présentent au municipal. Pis quand y sont pus bons pantoute, y font comme les joueurs de hockey qui se pognent des jobs de dépisteurs: y deviennent fonctionnaires.

Moé, ça m'écoeure. Nous autres icitte dans le Bas-du-Fleuve, ça fait pas moins que dix élections qu'y font avec le port de mer de Cacouna. Pis on est encore le bec dans l'eau, c'est le cas de le dire. Maudite politique de torrieu! Des fois je me demande si on serait pas mieux de toute sacrer ça dehors ces bleus-là pis ces rouges-là, pis de faire rentrer des créditisses à la place. Remarque que des créditisses on en a déjà eu pis c'était pas le yable mieux.

Moé, je le dis ben franchement, je sus pas un grand Jos Connaissant là-dedans. Leu's histoires de budgets pis d'expansion économique pis de Baie James, ça me passe cent pieds par-dessus la tête. Tout ce que je sais, par exemple, c'est que les prix r'montent pis les taxes baissent pas. Y doit t'avoir une gagne de grosses poches en arrière de d'ça, mon homme, tu peux être sûr qu'eux autres y se graissent!

Prends les grosses compagnies: ça vient icitte charcher nos richesses, ça rouvre des usines pis des moulins pis des manufactures, ça fait des bénéfices que c'en est quasiment pas creyable, pis torrieu en plusse de d'ça le gouvarnement leu' donne des subventions pis y leu' fait pas payer de taxes. Moé j'sus p't'êt' ben gnochon, mais je comprends rien là-dedans.

Te rappelles-tu, y a quèques années, quand les Unions demandaient cent piasses par semaine pour tout le monde, le gouvarnement disait que ç'avait pas de bon sens, que la Province avait pas le moyen de payer ça. Pis après ça le gouvarnement s'est r'viré de bord pis y a donné des concessions aux grosses compagnies. Pis pas longtemps après y a donné une augmentation aux juges pis y a remonté les salaires des députés pis des ménisses. On sait ben, eux-autres y gagnaient ienque des pauvres petits vingt pis trente mille piasses par année ... Comprends-tu ça, toé?

Comment ça se fait que les ceusses qui travaillaient dans les hôpitaux pis dans les écoles, à torcher les malades pis à nettoyer les saloperies des enfants, y auraient pas le droit de gagner cinq mille piasses par année? Pis que pendant ce temps-là les juges pis les ménisses, eux-autres, y avaient le droit de gagner cinq pis dix fois ce prix-là à se prélasser dans des siéges rembourrés? Les ménisses paient pas leu' baloné pus cher que les balayeurs, pis à ma connaissance quand tu t'achètes une poche de sucre, que tu sois ménisse ou ben mopologisse, tu paies le même simonak de prix. Trouves-tu que ça a un calvette de bon sens, toé?

C'est vré qu'astheure, quand on parle de cent piasses par semaine, ça fait ben rire ... En tout cas, moé, si ça serait ienque de moé, les ménisses je leu' ferais faire comme les Chinois: y seraient ménisses six mois par année, pis les autres six mois y iraient ramasser des patates ou ben passer la moppe dans un cégeup ou ben laver des jaquettes dans un hôpital. Pis les juges pis les docteurs la même affaire. Je t'en passe un papier que quand y reviendraient ménisses au bout de six mois, y auraient p't'êt' ben un peu plusse de respect pour le pauvre monde.

C'est vré: ces torrieux de politiciens-là, tu votes pour ça pis une fois qu'y sont au pouvoir des fois on se demande si y se rappellent encore de quel comté qu'y viennent! Moé, leu's affaires de représentants du peuple, y peuvent ben manger de la "m" tant qu'à moé avec ça: j'y crés pus pantoute. Les députés, mon ti-gars, ça serait supposé d'être des représentants du peuple auprès du gouvarnement, mais astheure c'est le contraire: c'est des représentants du parti auprès du peuple. Pis c'est pour ça que toute va mal de même.

Une autre patente justement que t'as dû entendre parler en parlant de politique, là, c'est la fameuse cartonnerie de Cabano; ça itou ça a faite ben du tintouin, pis on pensait ben que ça allait finir par faire patate. Tu t'en rappelles: les politicailleux promettaient mer et monde aux gens de Cabano, une cartonnerie qui allait créer des centaines d'emplois, une grosse affaire avec une participation populaire pour que le monde de Cabano peuvent être leu' propre maître pis travailler à une industrie qui serait à eux-autres ...

Pis là, ça a duré. Une élection, deux élections, trois élections ... Les députés se faisaient aller la gueule, les ménisses se promenaient en Belgique pis partout, les journaleux faisaient des gros titres en première page des gazettes. Pis ça durait. Ma foi du bon Yeu, ça durait depuis assez longtemps que des fois je me disais qu'y seraient aussi ben de se bâtir une papeterie de papier à fesses, parce que ça finissait par donner le va-vite, leu' bagatême de retardage! ...

Finalement ça a fini par aboutir, mais une chance que les gars de Cabano étaient pas des chieux sus le bacul pis une chance que leu' maire a tenu son boutte jusqu'au boutte. C'est entendu qu'y ont pas eu toute ce qui leu's'avait été promis. La cartonnerie est pas si grosse qu'on pensait, pis alle appartient pas en majorité à la population. Mais c'est toujours ben mieux que rien.

Aie! C'est grave, quand tu penses à ça: les gars de Cabano, y a quasiment fallu qu'y fassent une p'tite révolution, pour que les gouvarnements s'aperçoivent d'eux-autres. Si y avaient pas brûlé quèques cabanes pis paradé dans les chemins comme des enragés, pour moé les grosses poches d'Ottawa pis de Québec se seraient jamais demandé seulement ousque c'est, Cabano, sus la carte. Toute la population de la ville se serait r'trouvée sus le service social ça aurait pas été long, pis les fonctionnaires auraient trouvé ça normal.

Moé je les admire les gars de Cabano. Y ont pas accepté ça, eux-autres, de se mettre sus le sarvice social pis de vivre comme des poux sus le dos d'un chien. Y se sont choqués ben noir, y ont brisé un peu, pis y ont faite savoir aux gouvarnements que ça leu' prenait une industrie pour vivre. Y ont p't'êt' ben passé pour une bande de sauvages un bout de temps, mais finalement y l'ont, leu's industrie. Ce qui est grave, c'est qu'y a quasiment fallu qu'y agissent comme des sauvages pour que les gouvernements fassent quèque chose.

On se demande des fois que c'est qu'y font là, les gouvarnements. C'est vré: imagine-toé pas que c'est ienque par icitte que ça marche de même; en Gaspésie, y savent pus quoi faire avec leu' BAEQ, à Mirabel les expropriés chiquent la guenille, au Mont-Wright le yable est aux vaches, à la Baie James ça flambe de partout, à Québec pis à Montréal pis à Toronto les commissions de transport ça transporte quasiment ienque de la chicane, pis plusse que tu lis les journaux plusse que tu viens mêlé entre les nouvelles du Parlement pis les nouvelles de l'enquête sus le crime organisé.

A part de d'ça que les Unions donnent pas leu' place non plus pour faire du trouble pis pour chiâler. Un bon soir tu vois les cheufs syndicaux qui s'promènent avec des pancartes bras-dessus, bras-dessoure, le lendemain tu r'prends la télévision pis tu vois les mêmes cheufs syndicaux qui s'engueulent à tour de bras, le surlendemain tu les revois y sont ben d'accord ensemble pis y se mettent sus le dos du ménisse du travail, pis l'autre lendemain y en a un qui accuse l'autre d'être arrangé avec le ménisse du travail par en dessoure de la table, pis envoie donc!

Mais le plus drôle dans tout ça, c'est qu'un bon moment donné y a un faiseux de portraits qui s'adonne à prendre des poses pis là dessus tu vois les cheufs d'unions pis le ménisse du travail pis le premier ménisse qui sont ensemble pis qui se donnent la main pis qui ont l'air à avoir ben du fonne.

Moé je comprends rien pantoute là-dedans. Mais y a une chose que je comprends en calvette, par exemple: c'est que le baloné est pus achetable, le gaz est à la veille de se vendre aussi cher que le Miquelon, pis le chômage augmente tout le temps.

Mais ça fait rien, Québec sait faire, y paraît. Avant, au moins, y savait faire des enfants pis des joueurs de hockey. Astheure je me demande en torrieu ce qu'y peut ben savoir encore faire.

C'est pus Québec sait faire, c'est Québec s'effoire, simonak!

En tout cas! On est aussi ben de boire une gorgée, du Miquelon ça s'envale mieux qu'une promesse de politicailleux.

Ouais! ... Non, moé, ce que je trouve astheure, c'est que tout un chacun veut ronner pis parsonne ronne pour de vrai. Y a été un temps que c'était pas compliqué: y avait un cheuf, pis des indiens; y avait un boss, pis des ouvriers; y avait un maître d'école, pis des élèves. Pis ça marchait.

Astheure, les premiers menisses ça ose pus se faire écouter de leu's ménisses, les curés ça a pus d'autorité, dans les manufactures on se d'mande si c'est le patron qui mène ou ben l'union, pis dans les unions on sait jamais trop trop qui c'est qui mène. Dans les écoles on n'en parle pas: c'est rendu, ma foi du bon Yeu, que les enfants se pognent les fesses en pleine classe, fument de la drogue dans les bécosses, s'habillent comme des mi-carême ... pis quand y a un maître d'école qui veut parler, y passe pour un niaiseux. Je me demande ben où c'est qu'on s'en va avec ça.

Ca, pour moé, ça vient ienque d'une affaire. C'est parce que les parents d'astheure sont pus capables de se faire écouter de leu's enfants. C'est vré: un gars qui donne une bonne volée sus les fesses à son gars pour le faire écouter, aux jours d'aujourd'hui y passe quasiment pour un bourreau ... Ca fait que pus parsonne ose battre ses enfants, pis les enfants apprennent pas le respect pis l'obéissance. Quand y sont plus vieux y respectent pas plusse leu's professeurs que leu's parents, y respectent pas les curés ni les lois ni les règlements. Pis quand y se marient pis qu'y ont des enfants à leu' tour, y savent pas se faire respecter pis se faire écouter. Ca fait que ben vite, si ça continue de même, tout un chacun va faire n'importe quoi pis tout le monde vont le laisser faire.

En tout cas laisse-moé te dire, mon jeune, que moé j'ai pas été élevé de même. Je t'en passe un papier que quand le pére chez-nous me disait de m'écraser, je m'écrasais en bagatême! Autrement y m'aurait baissé mes culottes pis y m'auraient donné une maudite volée sur le porte-crotte avec sa strappe à rasoir.

Pis y faisait ben à part de d'ça. Je me dis des fois que si c'est vré le dicton: "Qui aime ben châtie ben", y doit pus y avoir grand parents qui aiment ben leu's enfants astheure ...

Anciennement, le monde avaient de l'autorité. Prends Maurice Duplessis, par exemple, astheure y en a qui disent ben des affaires pis qui rient ben de lui. Mais je te garantis que des morveux comme les ménisses d'aujourd'hui, si y se retrouveraient tout d'un coup face à face avec Duplessis, y fileraient doux en simonak. Duplessis te les mettrait à leu' place ça prendrait pas goût de tinette, je t'en passe un papier!

Y était p't'êt' ben dictateur comme y disent, mais seulement y savait ce qu'y voulait pis c'est lui qui menait, c'était pas Pierre, Jean, Jacques. Duplessis, y se cachait pas en arrière de sa cravate pour parler au monde comme y a des cous fins qui le font astheure. Les gazettes pis les compagnies pis les unions, pis le fédéral avec, y leu' disait son idée pis ça finissait là. Raide, frette, sec, net.

En tout cas moé j'ai voté pour Duplessis tant qu'y a vécu, pis je m'en cache pas. Je sus pas comme toute la maudite gagne de visages à deux faces qui se mettaient à genoux devant lui de son vivant pis qui crachent sus sa tombe astheure qu'y est mort. As-tu pensé à ça, mon homme, que ça fait même pas vingt-cinq ans que Duplessis est mort pis que quand y est mort y était au pouvoir avec une grosse majorité? Dans l'espace de vingt-cinq ans , toutes les ceusses qui avaient voté pour lui sont toujours ben pas morts ... Comment ça se fait ça qu'astheure y en a pus un enfant de chienne qui a assez de cran pour prendre sa défense quand tout un chacun l'attaque? Ca voudrait-ti dire que tous ceux qui ont voté bleu anciennement ont regrette astheure?

Je vas te le dire, moé, ce qu'y a: c'est parce que c'est une calvette de gagne de moutons, pis y ont peur de dire leu's idées. C'est comme les Français qui ont toutes voté pour De Gaulle dans le temps, pis astheure y voudraient nous faire accrère que De Gaulle avait pris le pouvoir par la grâce du Saint-Esprit! ...

En tout cas moé je te le dis encore une fois: j'ai voté pour Duplessis, pis si y se représenterait un autre Duplessis aujourd'hui pour demain, je revoterais pour lui. Pis je serais pas tout seul à part de d'ça. Emmène-nous un vré cheuf pour la Province, pis je t'en passe un papier qu'y rentre au pouvoir avec une grosse majorité; le monde sont tannés de pas trop savoir ousqu'on s'en va.

Toé, mon jeune, à l'âge que t'as là tu dois ben être séparatisse, je pense ben? Ben laisse-moé te dire une chose: vous autres, c'est un gars comme Duplessis que ça vous prendrait à la tête du P.Q. Vos ti-poil pis vos petites barbes sont ben smattes pis tout ça, mais c'est pas des cheufs. Duplessis, lui, y savait parler à son monde pis y t'organisait une élection en criant lapin, tandis que vos gars, malgré que ce soit probablement des bons hommes, ben souvent y réusissent même pas à s'organiser dans leu' comté ...

En tout cas ... Faut pas rêver en couleurs: Duplessis est mort, pis p't'êt' ben que si y vivrait encore le P.Q. serait assez bête qu'y voudrait pas l'avoir comme cheuf ...

Ouais! On parle ben des gouvarnements pis toute, mais faut pas trop se conter des peurs non plus: ben souvent c'est pas le yable mieux dans le bas de l'échelle avec les conseils municipaux. As-tu déjà été voir ça, toé, le jeune, une séance d'un conseil de village? Tu y as jamais été, hein? Ben ça me surprend pas. Pis laisse-moé te dire que t'es pas tu-seul: la majorité du monde y sont jamais allés, aux séances du conseil. Mais ça empêche pas que tout le monde chiâlent pareil ...

Moé, ça s'adonne que j'ai été conseiller durant six ans. Ah! C'était pas pour faire de l'argent: dans ce temps-là ça payait pas une maudite cenne. Non. Seulement je voulais savoir comment ça se ronnait, un village, ça fait que quand y m'ont demandé de me présenter pour prendre la place du vieux Thophile qui était rendu trop sourd, j'ai dit oui.

La première séance que je sus allé, c'était au mois de décembre. Y faisait frette, bagatême! ... Pis la salle paroissiale était quasiment pas chauffée. Toujours que je sus arrivé un des premiers, en même temps que le secrétaire pis ti-Léon Gendron qui venait d'être élu par acclamation lui itou.

En arrivant, le secrétaire nous a faite prêter sarmant, pis y nous a dit sus quelles chaises s'assire. Moé c'était le siége numéro quatre; ti-Léon, lui, y avait le siége numéro six, drette au côté du secrétaire. Les autres sont arrivés ça pas été long: le grand Pit à Siméon avec sa cloque noire pis ses bas de feutre, monsieur Tardif, le directeur d'école, avec sa sacoche à papiers en dessoure du bras, pis le Jacques Robitaille. Après ça monsieur le maire est rentré; tu l'as pas connu, toé, le gros Desbiens ... J'te dis qu'y faisait son ti-Jean Cremette, avec son capot de poils pis son casse de cremeur. J'te mens pas, en le voyant rentrer on aurait quasiment dit qu'y se prenait pour le premier ménisse.

Jos Michaud est arrivé en retard comme de raison, pis sus la brosse comme de coutume. Y gambadait. Je me sus tout le temps demandé comment ça se fait qu'un ivrogne de même avait ben pu se faire élire conseiller. En tout cas! Là y est rentré cinq-six p'tits vieux qui se sont assis au ras le mur, Desbiens a dit la priére, pis on a commencé.

Le secrétaire a li les minutes en criant quasiment comme si y aurait eu deux cents parsonnes dans la salle, ensuite y a demandé: "C'est-ti ben ça qui s'est passé?" Parsonne a dit un mot, Desbiens a signé les minutes, le secrétaire a li une lettre du député pour nous dire que notre subvention pour les trottoirs était à l'étude, pis après ça on s'est mis à parler de l'entrée d'eau à Georges Talbot.

C'est là que le chiard a pogné. Le grand Pit pis Jos, eux autres, y astinaient que la municipalité avait pas d'affaire à payer le tuyau à Talbot; monsieur Tardif avait son code pis y en lisait des bouttes. Robitaille pis Desbiens voulaient payer. Moé pis ti-Léon, on était nouveaux, on disait pas un mot.

Le grand Pit disait que le Conseil virait en dessoure avec l'aqueduc pis qu'on dépenserait pas deux cents piasses çartain pour aller porter l'eau à ce maudit flanc-mou là de Talbot qui avait pas été assez fin pour se loger du long de la rue. Robitaille disait que Talbot était un contribuable comme un autre, pis que la municipalité avait ienque à se passer un règlement avant si on voulait pas que le monde se logent trop loin de la conduite d'eau. Jos était chaud, y chantait pouille à Desbiens. Monsieur Tardif a commencé à vouloir y couper le sifflette, mais Jos s'est choqué pis y a dit que les directeurs d'école c'était ienque bon pour fumer des pissettes d'agnelles pis pour se promener toute la semaine longue en habits des dimanches. Monsieur Tardif l'a traité d'ivrogne, mais Jos a répondu qu'y aimait autant prendre de la bière que du pepsi, pis que si monsieur Tardif continuait à boire trop de pepsi y allait venir la pissette comme un brin de mil.

C'est là que Desbiens a blasphêmé un coup de marteau sus la table pis qu'y a dit qu'on passait au vote. Finalement Talbot a eu son entrée d'eau.

Pis ça a continué de même.

Ca fait que quand la séance a été finie au boutte d'une couple d'heures, j'était pas ben ben de bonne humeur. En sortant j'ai ramassé ti-Léon par une aile, pis j'y ai demandé: "Penses-tu que c'est tout le temps de même?" Ti-Léon a pas parlé, y s'est en allé. Mais j'ai ben vu qu'y filait pas lui non plus. C'est pas un gars qui parle souvent, ti-Léon, pis c'est un gars qui parle jamais fort. Mais de coutume y parle aplomb. Je me sus dit qu'y ferait pas vieux os au Conseil si c'était toujours de la chicane de même.

En arrivant chez-nous, j'ai conté ça à ma vieille. J'y ai dit que moé je pensais qu'un Conseil, ça administrait le village; pis que je m'étais aparçu qu'au Conseil, ça faisait ienque parler de bouts de tuyaux pis de fossès. Ma femme a pas faite ni une ni deux, a m'a dit tu-suite: "Demain matin va voir monsieur Tardif pis parles-en avec lui. Tu vas voir ce qu'y va dire. Pis si y te dit que c'est tout le temps de même, t'auras ienque à résigner comme conseiller. D'abord t'avais pas besoin de d'ça, être au Conseil ..."

J'ai faite ce que ma femme m'avait dit de faire, pis le lendemain, je sus allé jaser avec monsieur Tardif. Lui y parle en tarmes, mais je vas essayer de me rappeler pas mal juste ce qu'y m'a dit: "Mon bon monsieur", qu'y m'a dit, "depuis deux ans que je sus au Conseil, on a parlé ienque des questions de tuyauterie, de fossès, de clôture de ligne. Pourtant la municipalité aurait besoin d'un poste à incendie, d'une rénovation du système d'aqueduc, d'une construction d'un système d'égouts, pis de ben d'autres choses à part de d'ça. Seulement je sus le seul membre du Conseil qui a li le code municipal pis les programmes du fédéral pis du provincial pour aider les municipalités ... Pis je sus tu-seul qui pense à d'autres choses qu'à passer mon mandat en déplaçant rien pis en me contentant de faire ce que les autres ont faite avant moé. Voyez-vous, le problème, dans une municipalité comme la nôtre, c'est que les membres du conseil ben souvent sont pas élus parce qu'y sont bons à quèque chose, mais parce qu'y parlent fort ou qu'y sont bons catholiques ou ben parce que plusieurs contribuables sont de leu' parenté. Pis en plusse, ceux-là qui auraient un certain talent pour administrer ben des fois sont pas intéressés à se présenter".

C'est ce qu'y m'a dit, monsieur Tardif; pis là y a continué:

"Desbiens est maire parce qu'y est ancien voyageur de commerce pis qu'y se vante de connaître ben du monde pis en particulier le député. Jos Michaud est conseiller parce qu'y a une grande gueule pis qu'y se vante dans les hôtels d'être tu-seul au Conseil à travailler pour pas augmenter les taxes. Robitaille parce que les trois-quarts du village sont parents avec lui. Le grand Pit parce qu'y est vieux, ancien marguillier, pis qu'y réussit à faire passer son âge pour de la sagesse. Vous pis Léon Gendron parce que vous êtes deux cultivateurs pas trop instruits ... Desbiens vous a demandé de vous présenter parce qu'y pense qu'y aura pas trop de misère à vous influencer. Pis moé... J'sus conseiller parce que parsonne s'est présenté contre moé ...

"V'la la situation. Maintenant si vous voulez aller conter tout ce que je viens de vous dire à Desbiens, allez-y, j'ai pas peur de lui. Seulement si vous êtes décidé à faire quèque chose pour le bien du village, ben lisez votre code, ouvrez-vous les oreilles, laissez-vous pas embarquer, pis aidez-moé à faire élire l'année prochaine un maire qui a du bon sens pis des conseillers qui seront pas des lavettes".

C'est ça qu'y m'a dit, monsieur Tardif. Quand je sus sorti de d'là, j'en ai jonglé un torvisse de coup, je t'en passe un papier. J'en ai reparlé avec ma femme, pis finalement j'ai décidé d'accoter monsieur Tardif. On a travaillé fort, on a réussi à décider quèques bons hommes à travailler avec nous autres, pis r'garde le résultat: aujourd'hui on a notre poste à feu, nos égouts pis notre aqueduc, pis monsieur Tardif est encore maire. Ca coûte p'têt' ben un peu plus cher de taxes, mais au moins on a des sarvices pour les taxes qu'on paie.

Pis une autre affaire drôle avec ça, c'est que y a du monde qui se sont mis à venir aux séances du Conseil ... Pas des foules, mais dix, quinze parsonnes à chaque séance, pis pas ienque des p'tits vieux. Les vieux, on leu's a organisé un club de l'Age d'Or. C'est encore l'idée à monsieur Tardif, ça, comme la corporation des Loisirs pis le Carnaval.

En tout cas! ... Tout ça pour te dire que nous autres, icitte, on est ben organisés. On a du monde qui se donnent la main pour travailler, pis qui pensent pas ienque à leu' portefeuille ou à leu' p'tite fierté parsonnelle. Quand j'ai vu que le Conseil était ben parti pis que j'ai commencé à moins me démêler dans les affaires d'administration, moé, je sus sorti avec les remarciements du village pis c'est un jeune qui a pris ma place, un jeune ben instruit qui va être capable de faire mieux que moé.

Mais c'est pas de même partout, on sait ben. La majorité des villages, y sont comme nous autres avant, dans le temps de Desbiens: y se chicanent entre eux autres au Conseil, pis y attendent que la Province leu' donne toute cuit dans le bec. Y se sont pas encore aparçu que si on attend que les autres se fendent le cul pour nous autres, on peut attendre longtemps en torrieu ...

Tu penses p'têt' ben que je sus en train de nous vanter pis que je mets la mise au boutte du fouette? Si tu me crés pas, prends le cornet du téléphone, appelle ti-Léon Gendron pis parles-en avec lui, tu vas voir. Ti-Léon, y a embarqué avec moé pis monsieur Tardif, lui itou, dans le temps. Tu vas voir ce qu'y va te dire ...

Bon, ben en attendant finis ta bière pis moé je vas vider mon verre de fort. La cruche est encore là pis j'ai monté trois bouteilles de la cave betôt, ça fait que si la soif nous reprend, on aura beau se sarvir ...

INTERMEDE

Le Vieux a vidé son verre d'un trait, l'a posé et a commencé à bourrer sa pipe. Puis, voyant que je tâtonnais un peu pour changer le ruban du magnétophone, il s'est levé, a traversé la pièce et est allé appuyer sur le commutateur près de la porte. Après quelques clignotements, le tube fluorescent a inondé la pièce d'une lumière qui m'a paru chaude comme la lumière du soleil...

Le Vieux est venu s'asseoir, a versé un peu d'alcool dans son petit verre, a allumé sa pipe en m'examinant des pieds à la tête avec un peu d'ironie dans le regard ...

CHAPITRE CINQUIEME

Y a une autre affaire qui m'a tout le temps chicoté un peu, moé, pis j'ai jamais trouvé parsonne pour m'expliquer ça ben clair. C'est p't'êt' ben parce que je me sus jamais adonné à rencontrer le bon gars ... En tout cas! Ce que je veux parler, c'est les histoires de modes: d'ousque ça vient ces maudites modes-là, donc, ça?

Comment ça se fait qu'un beau matin t'as des chaussures à boutte pointu pis t'es à la mode, pis six mois après t'as encore tes chaussures à boutte pointu pis tu passes pour un habitant? Les calvettes de chaussures, si y te faisaient pas mal aux pieds six mois avant, y te font toujours ben pas plus mal aux pieds six mois après!?

C'est rendu astheure que si tu veux suivre la mode faut que tu jettes ton butin à toutes les trois mois pis que tu t'en rachètes d'autre ... Pis ça coûte les yeux de la tête, ces maudites folleries-là!

Prends ma fille, Denise, je t'en ai parlé t'à l'heure; je m'en rappelle quand les minijupes sont sorties, alle avait quasiment encore la couche aux fesses, mais ça y prenait une minijupe. Bon. Pas longtemps après, la minijupe c'était passé de mode, ça y prenait une microjupe. Ca a pas faite ben long, la microjupe c'était pus bon, tout le monde portaient des maxijupes. Pis là ça a pas pris goût de tinette que les maxijupes ont pris le bord pis les midijupes sont sorties. Pis là je passe les longuettes, les courtettes, les écourtichées, les rase-trou, les culottes à pattes d'éléphant, les culottes serrées, les jupes-culottes pis les culottes parcées. Pis je parle pas des blouses, des vestes, des bottes, des capots pis des cravates de laine qui traînent à terre.

C'en est décourageant. Une femme qui veut suivre la mode aux jours d'aujourd'hui, faudrait qu'a passe son temps avec un fuseau de fil pis une aiguille dans les mains pour se raccomoder toutes les fois que les jupes étirent, pis r'détirent, pis se rétirent. Mais y en a pas une torvisse qui fait ça, on sait ben: le monde astheure ça répare pus rien, ça achète du neu'. Y a pús une femme astheure qui ramasse les boutons pis qui prend le temps de repriser son linge: aussitôt qu'y a un p'tit trou ou ben que la mode change, envoie aux vidanges pis rachète d'autre chose!

Ca fait qu'y a pus parsonne qui use son butin. C'est pus que le petit calvette de gaspillage, mon gars! Quand tu penses à ça comme faut, c'est pas surprenant que tout le monde soient sus la finance!

Dans mon jeune temps, moé, c'etait pas compliqué de même: t'avais ton habit des dimanches pis ta chemise blanche pis ta cravate pis tes souliers pour le dimanche pis les grandes occasions; à part d'ça t'avais des culottes d'étoffe, des quatre-layets ou des bottines, une chemise d'ouvrage pis une froque d'étoffe pour la semaine. Les femmes c'était pareil: une robe propre pour le dimanche, une robe de semaine pis des tabliers pour la semaine.

Pis je t'en passe un papier que quand on jetait le butin, c'est parce qu'y était fini. Des fois on avait des culottes brunes qui étaient reprisées avec de la laine rouge sus les fesses, mais tant que c'était chaud pis qu'on était ben dedans, on jetait pas nos culottes ...

Les femmes, y en a qui se faisaient des culottes avec des poches de farine: dans ce temps-là on achetait la farine au cent livres, pis c'était dans des belles poches de coton. Les femmes lavaient ça ben comme faut, pis y se taillaient des culottes là-dedans. Mais seulement la teinture était dure à faire partir, ça fait que ça arrivait qu'y reste un Robin Hood ou ben un Five Roses sus une fesse de temps en temps ...

Je m'en rappelle, dans les hauts du comté, y avait une grosse criature qui se faisait des culottes de même avec des poches de farine, pis le monde disaient qu'elle était assez grosse que ça y prenait quatre poches pour se faire une paire de culottes. Ca fait qu'y l'appelaient Marie-quat'-poches; pis y disaient qu'alle avait Ogilvie de marqué sus une fesse, Five Roses sus l'autre, Robin Hood sus la bédaine, pis Régal sus la pantoufle ...

Y a ma tante Emilia itou, qui avait coutume de se faire des culottes de même avec des poches de farine. Une bonne fois, ça s'est adonné qu'en cousant alle a faite disparaître le "l" du mot "flour", tu sais ben, "flour" en anglais ça veut dire farine. Toujours qu'un beau dimanche la tante Emilia sort sus le perron de l'église après la messe, pis alle échappe sa sacoche. Ca fait qu'a se penche pour la ramasser, mais comme a se penche y vient un maudit coup de vent pis sa jupe r'trousse par dessus la tête. Tout le monde sortaient de la messe, comme ça tout le monde ont vu que drette à la bonne place alle avait de marqué: "four" ... Tu parles d'une invitation, surtout que dans ce temps-là la tante Emilia était pas laite pantoute ...

On fait ben des farces, mais y reste que dans ce temps-là ça coûtait pas cher pour s'habiller. On perdait rien: les femmes ramassaient les boutons pis les morceaux de linge, pis ça cousait, ça tricotait, ça reprisait. Quand y nous arrivait une mortalité, au lieu de s'acheter du linge noir, on s'achetait quèques boîtes de teinture Diamond, on mettait le feu en dessoure du grand bâleur, pis les femmes teindaient le butin.

Je pense ben qu'astheure y doit pus se vendre de teinture ben ben. Le monde s'occupent pus de teindre, y aiment mieux acheter du neu'. Y ont pus le temps de teindre.

Je comprends pas ça, moé: dans mon jeune temps on n'avait pas de moulins à laver automatiques, pas de chèseuses, pas de frigidaires, pas de poêles électriques, pas de laveuses à vaisselle, pas de fers à repasser à vapeur, pas de machines pour rouvrir les cannes pis pour affiler les couteaux, pas de machines à coudre électriques, pas de fournaises automatiques, pis y a ben d'autres choses à part de d'ça qu'on n'avait pas. Pis les femmes avaient le temps de teindre, de coudre, de faire à manger, d'élever leu' famille ... Astheure la maison est pleine à ras bords de patentes électriques, automatiques, magiques, soit-disant pour sauver du temps. Pis y a pus une calvette de femme qui a le temps de teindre ou ben de coudre son linge, y en a qui mangent ienque des cannages à l'année longue, pis c'est rendu que pus parsonne a d'enfants.

Je me demande ben, simonak, ce que le monde font avec le temps qu'y sauvent à se sarvir de leu's bébelles électriques!

C'est vré qu'astheure la teinture c'est pus à la mode: pus parsonne porte le deuil. Mais ça, j'ai pour mon dire que c'est aussi ben de même. Quand tu perds un parent, c'est ben assez d'avoir de la peine en famille sans t'habiller en noir pour que tout un chacun fasse semblant d'être ben triste en te voyant. Quand t'es mort, t'es mort; pis ça donne rien que les ceusses qui restent s'arrêtent de vivre à cause de d'ça.

Dans mon jeune temps, je m'en rappelle, les funérailles c'était quasiment comme une noce: le mort était exposé à la maison, pis les voisins venaient veiller au corps chacun leu' tour. Y avait des gros repas, les voisins en profitaient pour se paqueter ben dur pis après ça y étaient deux jours sans manger chez eux. Pis y en a tout le temps qui s'emportaient du caribou ou ben du p'tit blanc, ça fait que des fois y se paquetaient de boisson itou.

C'était pas triste, triste, surtout quand le défunt avait de l'âge à plein. Des fois même y en a qui se jouaient des tours: y attachaient la main du mort avec une corde, y passaient la corde par un trou en haut du mur darrière le cerceuil, pis là y s'en allaient dans la chambre au côté pis quand les femmes venaient prier au corps y halaient sus la corde pis le mort levait le bras drette en l'air. Les femmes venaient en belle peur, ça éventait les cris, pis y en a qui pardaient connaissance.

Non! Moé je dirais que dans mon temps, les morts,

c'était moins triste qu'astheure. Pis ça coûtait pas cher: une tombe en sapin, peinturée en noir, pis c'est toute. Pas de cérémonies avec des fleurs plein la maison pis des monuments à pus finir dans le cémitière. La seule affaire qui était tannante, c'était de porter le deuil pendant un an de temps.

Aux jours d'aujourd'hui, c'est pus comme ça pantoute: le monde portent pus le deuil, mais seulement y en a qui se ruinent quasiment en salons mortuaires pis en couronnes pis en tombes pis en monuments. C'est vré: le gros Godias Landry, quand y est mort, sa femme est partie en peur: elle a payé une tombe au-dessus de $2,000.00, pis je parle pas du salon mortuaire pis des couronnes ... Ma foi du bon Yeu, d'après moé alle a mangé ses assurances ienqu'en cérémonies de même.

Faut crère que c'était pour l'amadouer pour pas que Godias revienne de l'autre bord y chatouiller les orteils, parce qu'a s'est remariée quatre mois après avec le Toine Gagnon. En tout cas! ...

Mais là j'étais après te parler de la mode. Moé je me sus tout le temps demandé pourquoi c'est faire que le monde se laissaient barouetter de même d'un bord pis de l'autre par les marchands de linge: me semble que si tout un chacun décideraient un bon matin de s'acheter du linge qui a du bon sens, du bon linge faite solide pis qui habille chaudement, les marchands de linge pourraient pas faire autrement que de leu' vendre ce qu'y veulent ... autrement y crèveraient de faim! Mais c'est pas ça, c'est pas le client qui mène astheure, c'est le marchand ...

Tu rentres dans un magasin, pis t'as quasiment pas le temps de dire ce que tu viens charcher que le commis est après toé pour te montrer les darniéres inventions de la mode. Ca fait que ben du monde osent pas dire un mot, pis y achètent ce que le commis leu' montre, même si y sont pas ben là-dedans pis même si ça a l'air fou comme toute! Pis les ceusses qui ont assez de jarnigoine pour envoyer la mode sus le yable pis pour s'acheter de quoi qui a du bon sens, y passent pour des arriérés.

C'est pareil comme les peignures, ça. Y a des femmes qui seraient pas laites, seulement c'est le salon de coiffeuses qui les mène, pis des fois quand y sortent de d'là y t'ont des torrieuses d'amanchures sus la tête, ma foi du bonYeu, tu dirais quasiment que les femmes font exprès pour avoir l'air folles. T'en as vu comme moé, des grosses maudites têtes frisées mouton, des noires avec des perruques blondes, des blondes teint's en blanc, pis des moitié blondes-moitié noires ... C'est une autre affaire, ça, que si les femmes se laisseraient pas faire les coiffeuses pourraient pas leu' passer n'importe quel sapin.

Moé j'ai pour mon dire que le monde astheure se laissent ben trop faire. Ca prend ienqu'un nono qui dit à la télévision que la mode c'est les robes longues pour que les femmes veulent toutes avoir des robes longues. Pis le lendemain y a un autre fifi qui dit que la mode c'est les perruques, pis les femmes veulent toutes avoir des perruques. Pis trois mois après y a un autre nono qui dit que la mode est rendue aux robes courtes, pis les femmes jettent leu's robes longues pis courent le ventre à terre s'acheter des robes courtes.

C'est fou, du monde en vie!

Pis les hommes sont pas mieux que les femmes! Les cravates, ça rélargit pis ça rétrécit, les culottes ont des coffres un beau matin pis le lendemain y en ont pus, les vestes d'habits une bonne journée ont des grands collets pis deux mois après y ont des petits collets, le printemps tout le monde se laissent pousser la moustache pis l'automne tout le monde se rasent le dessoure du nez, pis envoie donc!

Je te le dis, le monde se laissent mener comme des moutons! Ma foi du bon Yeu, on dirait quasiment des fois que pus parsonne prend le temps de penser à son affaire avant de s'acheter quèque chose. Moé je comprends rien en toute là-dedans. J'ai pour mon dire que c'est aux ceusses qui paient à choisir ce qu'y veulent acheter, pas aux ceusses qui vendent. Mais aux jours d'aujourd'hui, c'est rendu que c'est tout le contraire: on met n'importe quoi sus les tablettes des magasins, pis pourvu que c'est à la mode ça se vend comme des pains chauds.

Y peut ben avoir des patentes de protection des consommateurs: les consommateurs sont pas assez fins pour se protéger tu-seuls. Je t'en passe un papier que si toutes les consommateurs seraient comme moé, on n'aurait pas besoin de protection pis les marchands auraient affaire à vendre du bon butin, parce qu'autrement y pourraient toujours se le fourrer à quèque part leu' simonak de linge à la mode. Quand pus parsonne achèteraient chez eux, ça s'adonne qu'y vendraient de quoi qui a du bon sens, ou ben y farmeraient leu' magasin.

C'est ça qui est arrivé au pédeleur Caron, v'la une quarantaine d'années. Caron, c'était un gars qui passait dans les chemins avec une voiture pleine de marchandises, pis y faisait du porte en porte dans les rangs par chez-nous. Une bonne fois, y s'est laissé enfirouaper par un marchand de gros de Montréal, pis y a acheté un stock de bobettes en satin ou en flanellette, je m'en rappelle pus. Pis là y est arrivé par icitte avec ça, pis y a commencé à faire des sparages en disant que c'était la darniére mode, pis y a essayé de nous vendre ça. Sa voiture était pleine.

Dans ce temps-là, le monde se laissaient pas remplir la tête par les beaux finfins des gazettes, pis y avait pas de télévision. Ca fait que les histoires de mode, ça nous fatiguait pas trop trop ... On avait toutes des combinaisons ouatées, pis on se trouvait ben là-dedans hiver comme été. Ca fait que le pédeleur Caron, ses petites bobettes de tapettes, y en a pas vendu une calvette de paire. Y s'est quasiment mis sus le chemin avec ça.

Pis je te garantis que quand y est revenu l'année d'après, c'est pus des bobettes en flanellette qu'y avait dans sa voiture, c'est des combinaisons ouatées pis des corps de laine. Ca y les a vendus sans misére, parce que c'est de d'ça qu'on avait besoin, pis c'est ça qu'on voulait.

Bon ben c'est ben beau tout ça, mais moé j'ai envie de lâcher de l'eau. Toé itou? Tiens, vas-y, c'est la porte au fond du corridor. Moé je vas aller dehors, je sus accoutumé à ça ...

CHAPITRE SIXIEME

Ahhh! ... Ca fait du bien!

Aie! sais-tu, on parlait t'à l'heure qu'y en a qui sont gaspilleux pis des autres qui pensent ienque à la piasse ... Ca me fait penser à une affaire: sais-tu que rendu à mon âge y en a encore une maudite gagne qui ont pas fini de payer la finance? Sais-tu qu'y sont assez rares aux jours d'aujourd'hui les ceusses qui peuvent se vanter d'être maîtres chez-eux? Pis pourtant à les voir, on dirait ben que la majorité des gens sont en moyen ...

Ca a quasiment pus d'allure cette affaire-là ... Asteure tout le monde veulent être riches, pis y a pus parsonne qui veulent travailler. Ca me fait penser à la chanson de l'Anglaise, là, tu sais ben: "Tout le monde veulent aller au ciel, mais y a parsonne qui veulent mourir" ...

Regarde-les faire, ienqu'à voir on voit ben: tout un chacun a son gros char, sa télévision en couleurs, son skidoo, son chalet, sa chaloupe, pis ça voyage d'un bord pis de l'autre, pis envoie donc! Pis tout le monde est sus la finance. Ca fait qu'y travaillent toutes pour payer leu's tarmes, pis y a parsonne qui travaille pour travailler. Comme ça y a pus parsonne qui aime son ouvrage, pis y veulent toutes arrêter de travailler au plus sacrant pour ronner leu' char, regarder la télévision, ragler en ski-doo, aller au chalet pis barouetter leu' chaloupe. Mais y peuvent pas arrêter, parce que si y veulent garder tout ça faut qu'y travaillent pour payer la finance. C'est fou en maudit, du monde!

Quand on y pense comme faut, c'est pas surprenant qu'y ait autant de grèves pis de troubles. Quand un gars travaille pis que sa paie est mangée avant de rentrer dans ses poches, ça vient que pour lui c'est quasiment comme si y travaillerait pis qu'y serait pas payé. Sa paie, y en voit pas la couleur, y la doit à la finance à mesure qu'y la gagne. Ca fait que les gars se trouvent jamais payés assez cher. Pis quand tu penses de pas gagner assez cher, ça vient que t'aimes pus ton ouvrage.

Je t'en passes un papier que si toutes les compagnies de finance fermeraient aujourd'hui pour demain pis si tout le monde seraient obligés de payer comptant quand y veulent acheter quèque chose, ça serait pas long qu'y aurait pus de grèves pis que les ceusses qui travaillent auraient plusse de coeur à l'ouvrage. Y achèteraient moins de bébelles inutiles, y profiteraient plusse des affaires qui coûtent rien pis qui ben souvent sont les meilleures, pis y prendraient goût à travailler parce qu'y travailleraient pas ienque pour la finance, y travailleraient pour eux-autres.

Mais y a pas de danger que les compagnies de finance farment demain matin, parce que les compagnies de finance c'est eux-autres qui mènent les gouvarnements ... C'est ben simple, les gouvarnements sont en dettes, eux-autres itou.

Ca c'est une affaire que j'ai jamais compris: le monde sont endettés, bon, correct. Tu sais comme moé que si tu ferais disparaître tout d'un coup toutes les bébelles qui sont sus la finance, les trois quarts du monde se retrouveraient tous nus, au pain pis à l'eau, pis qu'y coucheraient dehors. Pis y marcheraient à pieds à part de d'ça. C'est clair: les maisons pis les chars, pis les poêles, les frigidaires, les meubles, le linge, ben souvent toute ça est sus la finance ... T'es d'accord avec ça? Correct.

Astheure prends les municipalités, les villes, les fabriques, les commissions scolaires,c'est toute endettées jusqu'au cou. Charche-moé un village ou ben une commission scolaire qui a pas de dettes, tu vas voir. Correct? Bon. Là tu montes plus haut pis tu prends les provinces, y sont endettées eux-autres itou. Tu prends le Canada, y se doit le darriére. Pis toutes les autres pays sont pareils.

Dans ce cas-là, veux-tu ben me dire, calvette, qui c'est qui l'a, l'argent? Faut toujours ben qu'a vienne de quèque part, bonne viarge! Faut toujours ben qu'y ait quèqu'un à un moment donné qui soit capable de financer tout ça. Pis essaie pas de me faire accrère que les ceusses qui ont les reins assez forts pour financer tout ça le font pour nos beaux yeux. Non, d'après moé y doit y avoir une pognée de gros financiers à quèque part qui préparent leu's affaires comme faut, pis si on fait pas attention à nous autres ça sera pas long que toute la planète va leu's appartenir pis que le restant du monde vont être ienque des esclaves.

Ris pas! Moé je vois ça venir plus vite que tu penses. C'est rendu qu'astheure quand tu fais une piasse, faut que t'en dépenses deux, autrement t'es niaiseux. J'ai appris ça aux darniéres élections; les partis avaient des beaux budgets, mais y étaient toutes pareils: quand y avait un million de r'venu y avait un million et demi de dépenses de prévu ... Moé je trouvais ça drôle, mais y m'ont dit que c'est parce que je comprenais rien dans l'économie pis dans l'administration. Ben moé je prétends que quand y en a qui essaient de mettre des idées de même dans la tête du monde, c'est rendu grave en enfant de chienne.

Laisse-moé te dire une chose, mon jeune: si j'ai ma maison pis quèques piasses de côté, c'est parce que quand je gagnais une piasse je m'organisais pour dépenser moins qu'une piasse. Pis si j'aurais pas faite ça, si j'aurais dépensé une piasse et quart à toutes les fois que je gagnais une piasse, j'aurais viré banqueroute ça aurait pas été long ou ben je serais encore obligé de travailler pour payer la finance.

Ah! Y me laisseraient pas crever de faim, non; y m'en laisseraient juste assez pour que je sois capable de continuer à leu' fournir mes deux bras pis ma tête. C'est ça que j'appelle être esclave, comprends-tu? Etre obligé de mettre ses deux bras pis sa tête au sarvice des autres ou ben se voir pris pour faire de la prison pour dettes. Pis c'est pour ça que je te dis que si le monde continuent à se laisser mener par les compagnies de finance pis par la publicité pis par tout le reste, ça prendra pas ben des générations avant que la terre appartienne à quèques centaines de pochus pis que le reste du monde soient toutes esclaves.

Tout ça, c'est de la faute de la publicité. La publicité, mon gars, moé j'ai pour mon dire que c'est une des graves maladies d'astheure; c'est comme qui diraient une maladie chronique: des fois ça fait plusse mal, comme dans le temps des Fêtes, d'autres fois ça fait moins mal;

mais ça ronge tout le temps. D'après moé, c'est d'là que viennent les problèmes économiques pis les troubles sociaux comme y disent, pis toute.

Je m'en vas te conter une histoire que j'ai inventée, tu vas comprendre ce que je veux dire. Je m'en vas te conter l'histoire d'un gars qui s'appelle, disons, Baptiste. Tu vas voir. Bon.

Commençons par dire que Baptiste, v'là trente ou trente-cinq ans, c'était un bon habitant qui vivait sus sa terre quèque part à Saint-en-arriére; y était pas riche, mais y était libre; y était pas fier, mais y était toujours habillé avec du bon butin ben chaud pis ben solide. Y était pas fine gueule, mais y mangeait à sa faim trois fois par jour.

Baptiste avait une bonne maison, ben isolée, avec des bonnes fondations; pis y se chauffait à même le bois qu'y coupait sus son lot. Baptiste avait peur de rien pis y devait rien à parsonne: y buvait l'eau de son puit, pis le lait de ses vaches; y mangeait les oeuffes de ses poules, le pain de son grain, la viande de sa boucherie; y se faisait des chaussures avec le cuir de ses peaux pis y s'habillait avec l'étoffe de son lin pis la laine de ses moutons. Baptiste le savait pas, mais y était comme qui diraient un seigneur, parce qu'y était quasiment complètement indépendant. C'est vré: y produisait lui-même à peu près toute ce que lui pis sa famille avaient besoin ...

Mais v'là-ti-pas qu'un bon jour, la publicité rejoint Baptiste jusque dans le fond de son rang. Pis là, la publicité y dit dans le creux de l'oreille qu'y a des tas d'inventions nouvelles qu'y connaît pas; pis la publicité y dit que ce qui fait la valeur d'un homme c'est pas son ouvrage ou ben son honnêteté, c'est son roule de vie. Baptiste savait pas ce que c'était ça, lui, un roule de vie ... Y vivait ben tranquille sus sa terre pis y se maudissait ben du reste. Mais là, la publicité le taraude sus toutes les bords, le travaille sus toutes les sens, assez que finalement a l'enfirouâpe comme faut, pis v'là que mon Baptiste veut avoir son roule de vie lui itou. Pis pour avoir un roule de vie, faut avoir les inventions que la publicité y présente.

Ca fait que Baptiste s'achète un char, un canot avec un moteur, un ski-doo, une télévision, du linge à la mode, un débouche-cannes électrique, un gramophone, un allumeur, de la colle Lepage pis des catins Barbie pour ses p'tites filles. Mais ça c'est pas trop grave, parce que Baptiste avait le moyen de se payer ça.

Là ousque ça devient plusse grave, c'est quand Baptiste s'aparçoit quèque temps après que pour garder son roule de vie, va falloir qu'y change de char, qu'y s'achète un moteur plus gros pour son canot, un ski-doo plus fort, une télévision en couleurs, du linge à la nouvelle mode, un débouche-cannes avec un affile-couteaux à même, un gramophone stéréo, un allumeur au gaz propane, de la colle crazy-glue pis Big Jim, la catin qui va avec Barbie.

Là Baptiste a pus d'argent pour se payer toute ça. Mais y peut pas s'empêcher de dépenser: la publicité l'a assez ben dôpé qu'y se sentirait rapetissé pis y aurait honte de lui si y suivrait pas son roule de vie. Ca fait que Baptiste emprête. D'abord y connaît ça: la publicité y a parlé des compagnies de finance qui sont si bonnes pour le pauvre monde ... "Achetez tu-suite ce que vous avez pas le moyen de payer, la finance va vous financer pis après ça vous aurez ienqu'à travailler pour elle pendant un an ou deux ..." V'là ce qu'a dit, la publicité ...

Ca fait que Baptiste emprête. Pis pendant les mois d'après, y donne ses bénéfices à la finance pis y se garde quasiment rien pour lui. Mais là ça fait pas longtemps, ça, parce que Baptiste aime pas trop ça travailler pour donner son argent aux autres, pis en plusse de d'ça le roule de vie appelle encore d'autres dépenses ... Toujours que Baptiste finit par vendre sa terre pis sa maison; avec ça y paie ses dettes pis y rattrape son roule de vie. Pis là y s'en va en ville se trouver une job.

Mais seulement en ville, les loyers coûtent cher. Pis le manger on le récolte pas, faut l'acheter. Pis le roule de vie est ben plus gros, parce que la publicité est forte encore ben plusse, pis Baptiste apprend vite qu'y a ben des inventions qu'y connaissait pas pis la publicité y montre qu'y peut pas se passer de ces inventions-là. Ca fait que c'est pas long que Baptiste s'endette encore. Pis c'est pas long après ça que son salaire y paraît trop petit. Y demande une augmentation. Pis comme le boss veut pas y donner, Baptiste se met en grève. Pis là y s'endette encore plusse.

Finalement, le boss donne l'augmentation, mais en même temps y remonte le prix de ses produits. Comme de raison, pas longtemps après Baptiste est encore obligé de demander une augmentation. Pis ça continue de même. Plusse que ça va, plusse que Baptiste se cale.

Toujours qu'un beau matin, le v'là rendu sus le bord de la banqueroute. Là y se prend la tête dans ses mains, pis y se met à jongler.

Y s'aperçoit qu'avant ça y était quasiment un seigneur, mais que là y est quasiment un esclave. Y a pus de maison à lui, pus de terre, ni rien. Son linge est ben à la mode, mais y est pas chaud chaud l'hiver. Son char est chromé sus toutes les bords, mais y est sus la finance, pis ben vite ça va tout prendre pour payer le gaz pour le faire marcher. Pis ses bébelles électriques (pis ses catins), ça se mange pas ... Pis le manger, quand y faut toute acheter, ça coûte cher en blasphème!

En tous cas, pour couper au plus court, disons que Baptiste s'aperçoit que la publicité y a faite accrère qu'y avait besoin de ben des affaires pas utiles, pis que pour avoir ces affaires-là finalement y s'est pas occupé de s'assurer qu'y manquerait pas des choses nécessaires. Là y se r'trouve endetté avec ben du superflu, mais y voit le jour ousqu'y pourra pus s'acheter de quoi pour manger pis pour s'habiller pis pour se loger.

Pis là, quand ben même que Baptiste arrêterait de dépenser pour des folleries pis qu'y travaillerait fort pour essayer de se r'trouver libre comme avant, ça va prendre ben du temps parce qu'y en a pour des années à rembourser la finance. Pis quand y va avoir fini de rembourser de peine et de misére, y va se retrouver encore devant rien, parce qu'y va être encore à loyer pis que ses affaires une fois payées vont être usées finies. Ca fait qu'y est esclave, parce qu'y est pris, si y veut pas crever de faim, à travailler pour la finance pour le restant de ses jours.

Oui mon jeune, c'est ça mon histoire de Baptiste. C'est loin d'être drôle, mais c'est vré en calvette, par exemple! Parce qu'imagine-toé pas que j'ai sorti ça de ma tête drette de même: seulement j'ai jasé en masse avec des gars qui avaient vendu leu' terre pour s'en aller rester en ville, pis avec du monde qui avaient voulu se montrer plus gros que les autres pis qui avaient dépensé plusse que leu's moyens. J'ai toute mis ça ensemble, pis j'ai inventé mon histoire de Baptiste.

Ce qu'y a de pire, c'est que des Baptiste comme le mien y en a un maudit tapon. Aux jours d'aujourd'hui quasiment tout le monde sont endettés pis quasiment tout le monde travaillent à des ouvrages qui produisent des affaires superflues; tandis ce temps-là, y a de moins en moins de cultivateurs pis de pêcheurs pis de gens comme ça qui travaillent à des ouvrages qui produisent des affaires nécessaires comme du manger ou ben du linge. D'après moé ça pourra pas durer de même ben longtemps.

Je te garantis que si aujourd'hui pour demain y nous arriverait une crise comme en 1929, y a une maudite gagne de monde des villes qui crèveraient de faim pis de frette. C'était déjà pas aisé en 29, mais au moins dans ce temps-là y avait encore plusse de monde dans les campagnes que dans les villes, le monde se chauffaient au bois, le linge était solide ... Toujours qu'on a réussi à s'en sortir sans trop de dommages parce qu'avec deux bons bras pis une bonne tête y avait moyen de s'arracher la vie.

Mais astheure c'est pus de même: les villes sont paquetées pis y reste quasiment pus parsonne sus les terres, le linge est comme du papier de soie pis les fournaises marchent à l'huile ou ben au courant électrique. Ca veut dire que quand ben même que t'aurais deux bons bras pis une bonne tête, si y a pas assez d'animaux ni de terre en culture pour nourrir tout le monde pis si tu manques de courant pis d'huile, tu cours des chances de crever comme un rat.

Que c'est que tu veux, le monde sont rendus fous raides pis y aiment mieux s'amuser avec des bébelles que s'occuper des choses importantes ...

C'est pas toé pis moé qui va changer ça. Pis en tous cas nous autres, dans le Bas-du-Fleuve, on est encore bons pour un bout de temps: on a de la bonne terre, les troupeaux sont ben gras, le poisson pis le gibier manquent pas encore, le bois deboutte est pas rare pis nos maisons sont ben galfettées. Avant de mourir de faim pis de frette, on va toujours ben pouvoir se défendre un bout de temps. Même si y faudrait se défendre à coups de douze pour empêcher les affamés des villes de venir nous voler notre butin comme c'est arrivé des fois dans le temps de la crise ...

Tiens, débouche-toé une autre p'tite bière, moé je vas me préparer encore un coup de fort. Me semble que ça va nous faire du bien: à force de parler, c'est rendu que j'ai le gargoton sec que le yable! ...

CHAPITRE SEPTIEME

En tout cas c'est rendu qu'aux jours d'aujourd'hui tout un chacun se conduit comme un vaisseau qui a ben de la voile, mais pas de gouvernail; pis quand je dis tout un chacun, c'est pas juste du monde en eux autres mêmes que je veux parler, c'est surtout des gouvarnements pis des villes pis des ... comment c'est qu'y appellent ça déjà? Ah! oui, des institutions. C'est vré: avec la vitesse pis les changements d'astheure, y a pus rien de durable pis de stable, si on peut dire. Aussitôt que quèqu'un met quèque chose deboutte, y arrive tout le temps un autre quèqu'un pour dire que c'est dépassé pis que c'est une autre patente qu'y faut mettre deboutte. Ca fait qu'à force de virer en rond de même, c'est rendu qu'y a pus rien qui tient deboutte pis qu'y a jamais moyen de s'accoter sus rien pour un bout de temps. Le monde savent pas ousqu'y vont, mais tout le monde courent comme si y avaient le feu au derriére.

Prends dans l'éducation, c'est un bon exemple. Moé j'ai pas faite de grosses études, chez-nous étaient pas assez riches. Mais seulement mes enfants sont ben instruits, pis j'ai suivi ça de proche leu's études. Mon plus vieux, Maurice, y a faite son cours classique au séminaire de Rimouski. Dans ce temps-là, les enfants savaient ousqu'y allaient pis les professeurs itou; y avaient un programme au commencement de l'année, pis des examens à la fin de l'année. Pour monter d'une année à l'autre, y fallait passer les examens; pis pour passer les examens, y fallait avoir appris le programme. C'était clair et net. Pis laisse-moé te dire que le programme changeait pas dans le courant de l'année. Y avait p't'êt' ben des défauts leu' programme, mais bagatême au moins y durait assez longtemps pour que les élèves passent au travers. Pis quand y avaient fini, y avaient appris quèque chose.

Par après ça a changé en maudit: mes autres garçons pis Thérèse c'était pas encore trop pire, mais là Denise, elle, est au cégeup pis c'est pas drôle: quand alle a commencé a savait pas trop quels cours prendre, pis quand alle a eu choisi ses cours, a savait pas trop ce qu'elle allait apprendre dans ces cours-là. Pis quand ben même qu'a l'aurait su ça aurait pas sarvi à grand-chose, parce qu'alle a été obligée de changer des cours trois ou quatre fois dans l'espace de six mois. Pis rien nous dit que les cours qu'a prend c't'année vont être encore bons l'année prochaine.

Denise m'en parle de son cégeup des fois, pis je t'en passe un papier que c'est pas un torrieu de cadeau de se démêler là-dedans; d'abord y a assez de directeurs pis de secrétaires qu'y reste quasiment pus de place pour les professeurs pis les élèves; les professeurs, ben souvent, y pensent plusse à parler de politique pis de syndicat qu'à montrer de quoi aux jeunes; les programmes changent à tout bout de champ; ça finit que tu sais pus pantoute à quoi ça sert d'aller à l'école. T'as beau avoir ben du talent pis être ben travaillant, à force de te faire barouetter comme ça d'un bord pis de l'autre, pis à force de pas trop trop savoir ce que tu fais pis l'utilité de ce que tu fais, ça vient que tu t'écoeures. Ca doit être pour ça que Denise est rendue qu'a veut faire une chanteuse. Pour moé a doit se dire que l'instruction d'astheure, ça vaut pas ... En tous cas!

Ce qui est drôle dans c't'affaire-là, c'est que ben souvent tout le monde disent pareil, mais que parsonne s'entendent. C'est à qui qui ferait des enquêtes pis des réunions pis des ... des "colloques", comme y disent, pour placoter autour d'une table. Mais y en a pas un blasphème qui est assez homme pour dire: "okay, on arrête de placoter pis on arrête de chambarder, on prend ce qu'on a pis on travaille avec assez longtemps pour savoir si c'est bon".

C'est pareil partout, à part de d'ça; les gouvarnements se lâchent en grande dans des projets qui ont pas de boutte, les municipalités s'écartillent jusqu'à fendre leu's culottes, pis envoie donc! On dirait qu'astheure tout ce que les vieux ont faite c'est honteux, tout ce qui dure c'est dangereux, pis que pour avoir du bon sens faut essayer d'aller plus vite que le temps.

Ben laisse-moé te dire une chose, ti-gars: le temps,y a pas peur de nous autres. Pis quand ben même qu'on se fendrait en quatre, on se retrouvera jamais en avant de notre temps; au contraire, si on veut trop s'éjarrer, un bon matin on va se retrouver en arrière des ceusses qui prennent leu' temps.

Pis ça, si tu me crés pas, t'as ienqu'à penser à la crise de l'énergie: les Etats-Unis pis le Canada ont voulu être en avant de leu' temps, pis y ont gaspillé leu's richesses comme des calvettes de fous; ben là, comme tu vois, c'est la grosse crise. Pis betôt on aura les yeux grands comme des trente sous pour admirer les Africains qui ont moins de pancartes lumineuses pis moins de gros chars pis de télévisions couleurs mais plusse de terre viarge pis de pétrole.

C'est comme moé avec mon poêle à bois dans la cave: mes jeunes me disaient que j'étais ben fou de garder ça ... s'impose pas que l'hiver passé, quand le courant a manqué en plein milieu de janvier, tu les as vus ressoudre icitte pour se chauffer autour de mon poêle.

Les jeunes y riaient de moé itou parce que je me fais un jardin tous les ans; mais je t'en passe un papier qu'au prix que les patates sont rendues astheure, y sont contents en maudit quand je leu'z-en donne une poche au mois de septembre. Pis c'est pareil pour les choux pis le reste. Ca s'adonne qu'y ont pus envie de rire de mon jardin. Parce que les prix ont beau grimper tant que tu voudras, moé mes patates me coûtent pas le yable plus cher ... le fumier pis les germes, ça se sacre ben de l'inflation!

Ca me fait penser à une histoire: une fois je rentre dans un magasin pour m'acheter des effets, mais j'ai beau regarder sus toutes les tablettes, les affaires se vendent toutes des prix de fou. Ca fait que je commence à marchander avec la vendeuse.

— Que c'est que vous voulez mon pauvre monsieur, qu'a me dit, toute r'monte! Je la regarde: c'était un beau brin de fille, avec un ruban autour du cou pareil comme ma femme portait dans son jeune temps. Ca fait que je pense à mon affaire, pis tout d'un coup j'y demande:

— Que c'est que vous avez donc autour du cou, mamselle?

— Un ruban, qu'a me répond; pourquoi que vous me demandez ça?

— Ben, que j'réponds, j'pensais que c'était une jarretière, vu que toute r'monte de même! ...

Excusez-là!

Mais pour en r'venir à ce qu'on parlait t'à l'heure, là, la franche carabine des fois moé je me demande si c'est ben ambitieux d'avoir des jeunes enfants aux jours d'aujourd'hui. Je te dis que quand tu penses à ça comme faut, ça sera pas drôle en simonak pour les ceusses qui vont avoir vingt-cinq trente ans aux alentours de l'année 2000 ... Y seront pas instruits le yable, y vont avoir des taxes épouvantables à payer pour des affaires comme la Baie James pis les Jeux Olympiques, ça force si y vont avoir encore assez d'huile pour chauffer leu' maison pis assez de gaz pour ronner leu' char, la viande va être pas moins qu'à $20.00 la livre ... Pis en plusse, probablement que dans ce temps-là la pègre va avoir fini de prendre le pouvoir dans les syndicats pis dans les partis politiques.

Pis encore, quand je parle de l'an 2000, rien nous dit que la Terre va encore virer autour du soleil, dans l'an 2000 ... On sait jamais quand est-ce qu'une bombe atomique va nous arriver sus le coin de la caboche ou ben qu'un savant va inventer une nouvelle grippe pis qu'on va toute y passer ...

Non, je te le dis ben carré, moé si je serais jeune marié aujourd'hui pour demain, je me demande si je ferais des enfants. Je pense, ma foi du bon Yeu, que j'empêcherais la famille plutôt que d'envoyer des p'tits dans notre monde de fous. Remarque que j'ai probablement pas raison de dire ça, parce que moé depuis que je sus au monde j'ai ben passé au travers de deux guerres mondiales pis d'une crise pis de ben d'autres choses ... Mais me semble que toutes les miséres que j'ai vécues étaient moins pires que le virage en rond d'astheure pis que les problèmes qui s'en viennent. Me semble que les hommes astheure sont rendus comme les baleines: y sont sus le bord de disparaître. La seule différence c'est que les baleines disparaissent à cause de la race du monde, tandis que la race du monde va disparaître par sa propre faute.

Ouais! ...

Mais ça, c'est des grands bagatêmes de problèmes. Pis je te l'ai dit, nous autres dans le Bas-du-Fleuve, les grands problèmes de même on n'en parle jamais assez longtemps pour que ça finisse par nous empêcher de dormir. Quand ben même que je braillerais sus le sort des jeunes de l'an 2000, c'est pas ça qui va améliorer leu' sort; pis moé dans l'an 2000 je vas être mort manquablement, ça fait que c'est pas mon problème.

Remarque que parti comme j'sus là, à ben y penser c'est pas sûr que je vas être défunt, dans l'an 2000 ... après toute ça me donnerait ienque 90 ans, pis y a du monde dans ma famille qui ont vécu jusqu'à 100 ans passés ... Mon oncle Octave, qui se trouvait pour ben dire à être le grand-oncle de ma mère, y est mort à 102 ans et trois mois, pis à part d'être sourd un peu y a eu toute sa connaissance jusqu'à la fin. Je me rappelle, le vieux, y me parlait de Jos Monferrand, de John MacDonald pis du curé Labelle: y les avait connus tous les trois.

Monferrand y avait bûché pour lui dans le temps qu'Ottawa s'appelait encore Bytown, pis y se rappelait de l'avoir vu étamper la sumelle de sa botte sus le plafond d'une aubarge. Par après, y a travaillé pour Macdonald un petit bout de temps comme cocher, pis après ça y est allé s'essayer dans les pays d'en haut; y me disait que le curé Labelle aurait ben voulu le garder.

Seulement mon oncle Octave, y était venu au monde dans le Bas-du-Fleuve, pis y voulait mourir dans le Bas-du-Fleuve. Ca fait que quand y a commencé à prendre trop d'âge, y est revenu par icitte. Y est mort en 1924, je m'en rappelle, j'avais quatorze ans pis c'était la première hiver que j'étais monté travailler dans le bois. Aie, quand tu penses à ça, ça veut dire qu'y était venu au monde en 1822 ... Ca fait un maudit bout de temps ...

Pis sais-tu, je repense à ça, je me rappelle que mon oncle Octave, quand y nous parlait de l'avenir, y voyait pas ça rose, rose; je me demande si je fais pas un peu comme lui pis si je radote pas un peu moé itou quand je parle de l'an 2000 pis que je trouve ça décourageant. Après toute, mon oncle nous a prédit ben des malheurs, pis on a vécu ben des malheurs, mais ça empêche pas qu'on a passé au travers ...

Ouais! Tu vas voir, mon jeune, si tu te rends pas à mon âge pis si tu chiâles pas toé itou quand t'auras mon âge ... Si ça t'arrive, pense à moé dans ce temps-là, pis dis-toé que ça sert à rien de s'en faire: le monde finissent toujours par trouver moyen de s'en sortir.

Aie! Je pense à ça, j'ai acheté une demi-poche de pinottes en écales le printemps passé, pis y m'en reste encore ... Ca serait bon avec ta bière, attends un peu ...

INTERMEDE

Etait-ce l'effet du Miquelon? Etait-ce mon respectueux silence? Toujours est-il que le Vieux devenait tout à coup plus ... familier. Son oeil brillait d'une lueur presque gamine. Sa voix se faisait gouailleuse. Et je fus un peu surpris, je l'avoue, de l'entendre livrer quelques confidences pour le moins ... croustillantes.

Mais il eut beau aborder des sujets plus scabreux, jamais je ne le trouvai vulgaire. Ce Vieux-là est une sorte d'aristocrate au fond. Comme tous ceux qui ont été au départ d'une race ...

CHAPITRE HUITIEME

Tiens, v'là ton plat de pinottes ... Comment ça, non marci? Envoie, envoie, calvette, ça va te mettre un peu de lard sus les épingles. T'es ben de ton temps, toé, mon gars. Ca a ienque la peau pis les os pis ça a la crigne sus les épaules. Sais-tu à quoi que tu me fais penser, planté deboutte de même dans le milieu de la place? Tu me fais penser à une moppe plantée sus son manche, torrieu! C'est maigre comme un râteau pis ça a la tête grosse de même ...

Bon, bon, correct, choque-toé pas; je disais ça pour faire des farces. T'es ben sensible, toé, y a pas moyen de te faire étriver un brin?

En tout cas assis-toé pis mange des pinottes; je te trouve pas pire pareil, sais-tu, même si t'as la couette jusque dans le collet. C'est vré, c'est rare qu'on voit ça astheure un jeune comme toé qui prend le temps de jaser avec des vieux comme moé.

Toujours!

Non mais c'est vré pareil que les jeunes d'aujourd'hui font dur! Moé y a une affaire que j'en reviens pas, c'est de voir qu'en bas de trente ans pis même en bas de quarante, astheure, on dirait que tout le monde veulent être maigres. C'est pus des torvisses de farces, tu vois ça dans les gazettes pis à la télévision pis sus la rue, ma foi du bon Yeu, plusse qu'y sont filés fin plusse que ça fait leu's affaire! Tu parles d'une maudite mode de braques! ... J'te mens pas, j'ai vu des filles des fois dans les vues qui étaient tout nues, pis c'était pas drôle: une planche pis deux pruneaux. Pis encore, si tu prends les ceusses qui font des parades de mode, ça serait plutôt une latte pis deux noyaux!

J'comprends pas pantoute ce que vous pouvez ben trouver de beau là-dedans. P't'êt' ben que je sus pas normal, mais moé en tous cas j'ai toujours aimé mieux avoir un matelas sus mon sommier pis une carosserie sus mon fremme ...

Ris pas!

Je t'en passe un papier que dans mon jeune temps c'était pas de même. Nous autres on aimait mieux en avoir plein les bras que de se graffigner sus des os. Aie, ma femme est pas icitte, je vas te conter quèque chose. Mais farme ta trappe, par exemple! Si y faudrait que ma vieille vienne à savoir ce que je vas te conter là, c'est ben pour le coup qu'a me tuerait ... Correct? Je vas me fier sus toé.

Bon ... Ca fait ben une quarantaine d'années de d'ça, je pense ben, pis p't'êt' plusse ... En tous cas je revenais du bois, c'était le printemps. J'avais été bûcher sus une concession, pis le torrieu de foreman ... Bon, en tous cas! Je r'viens à mon histoire. Toujours que j'descendais du bois, j'avais quèques piasses dans mes poches. J'arrête à un hôtel juste au bord, proche de la station. Les gros chars passaient pas avant le lendemain matin, ça fait que j'étais pris pour coucher.

Je rentre à l'hôtel, je me loue une chambre, je me fais la barbe, pis je descend souper. Y t'avaient un de ces cipâtes! Dans le bois tu comprends, on mangeait surtout des bines pis du lard, ça fait qu'un repas comme ça, on s'en rappelle. Bon. Toujours que je me pacte la panse, après ça je vas prendre une marche dehors en fumant ma pipe, pis je r'tourne dans ma chambre.

Mais je sus pas aussitôt rendu que ça cogne à la porte. Je rouvre, pis que c'est que j'aperçois? Une vré apparition, mon gars! Une torvisse de belle femme, entends-tu? Grande, la tête noire comme le poêle, ronde ousqu'y faut pis la peau rose comme du nanane; pis à part de d'ça, tiens-toé ben: habillée juste avec une jaquette en dentelle pis un châle. Aie! Oublie pas que dans ce temps-là un gars se dérangeait pour voir une cuisse! ...

Ca fait que tu te figures ben que je reste frette. J'savais pas quoi dire. Pis v'là-ti pas que la femme se met à brailler pis qu'a se jette sus moé pis qu'a me prend par le cou ... A farme la porte avec sa patte, pis a braille! A braille! Une vré fontaine. Moé ben crère que j'étais gêné, surtout que ... en tous cas ... disons que ça me faisait de l'effet, tu comprends ben ...

Toujours que je la fais assire sus le litte, j'y demande ce qu'alle a, pis j'essaie de la consoler. Finalement a me dit que sa chambre est au côté de la mienne, qu'alle est tu-seule parce qu'alle attend le train, pis qu'à s'ennuie, pis qu'alle a peur. Pis a me demande pour rester avec moé.

Que c'est que tu voulais que je fasse? Pauvre p'tite mére, j'étais toujours ben pas pour y refuser ce p'tit sarvice-là! Je comprenais pas trop trop, mais j'ai toujours eu pour mon dire que des fois y a des bouttes que t'es mieux de pas te casser la tête à te poser des questions.

Ca fait que les bas de laine r'volent, pis les culottes d'étoffe, pis la combinaison, si tu veux le savoir. Je me r'vire: alle est rendue toute nue elle itou. Ah! bonne sainte viarge, si t'aurais vu ça! Un vré patron, mon gars, tournée au tour.

J'avais jamais vu une belle femme de même. Assez en tous cas que j'en ai quasiment perdu mes envies ... Mais ça a pas été long, alle est venue se coller après moé pis mon diguidou a repris le bord du nord aussi raide!

Toujours qu'on farme la lumiére pis qu'on se couche. Pis là, je te conterai pas ce qu'on a faite ... en tous cas je vas te dire juste une chose, c'est qu'y était tard quand je me sus endormi.

Toujours!

Le lendemain matin, moé, j'me réveille, je r'garde partout: parsonne. Alle était partie. Là j'ai eu une simonak de peur, je me sus dit: alle a volé mon portefeuille. J'avais toute ma ronne là-dedans, plusieurs cents piasses.

J'me lève comme un fou, j'fouille mes poches: mon portefeuille était là avec toute mon argent.

Là je m'escoue un peu, pis je commence à me demander si j'avais pas rêvé. Mais non, mon linge était à terre sus le plancher ousque je l'avais garroché, pis à part de d'ça que j'avais les jambes en guenille pas mal, ça fait que j'ai ben vu que j'avais pas rêvé.

Toujours que je m'habille, je vas cogner à la porte de la chambre voisine: pas de réponse. Je ramasse mon paquesac, j'descends à la salle à manger: parsonne. J'appelle, le propriétaire de l'hôtel arrive, y me r'garde, pis y éclate de rire. Moé j'sus pas malin, mais j'aime pas ça le yable faire rire de moé. Ca fait que j'ai lâché trois quatre sacres, pis l'hôtelier a arrêté de rire ben net.

— A vous a rien volé toujours? qu'y demande.
— A m'a rien volé pantoute, mais j'voudrais ben savoir qui c'est ça c'te femme-là, que j'réponds; a m'a même pas dit son nom!

Là y m'a sorti une histoire quasiment pas creyable: y paraît que c'te femme-là, c'était la femme d'un docteur de la ville au côté, pis qu'a venait comme ça toutes les deux-trois semaines prendre une chambre à l'hôtel. Alle arrivait le soir à l'heure du souper, a regardait dans la salle à manger, a se choisissait un gars pis a demandait à louer la chambre voisine de ce gars-là. Après alle attendait, pis quand le gars rentrait dans sa chambre alle allait cogner à sa porte, pis a s'organisait pour rester avec ...

Ca a l'air qu'elle a jamais faite de scandale: a volait jamais parsonne, a partait le matin de bonne heure, pis a disait jamais un mot. Les gens de l'hôtel trouvaient ça plutôt drôle; des fois y allaient se coller une oreille sus le trou de la serrure, pis y se faisaient du fonne.

L'hôtelier m'a dit qu'a faisait ça parce qu'alle était malade. Une drôle de maladie, la nympo ... la nymphomanie, j'me rappelle. Je sais pas comment ça se fait que son mari la soignait pas, vu qu'y était docteur. En tous cas c'était pas contagieux c'te maladie-là, l'hôtelier était ben sûr de son coup; même qu'y est parti à rire quand j'y ai demandé ça.

Finalement j'ai pris le train pis je me sus en revenu chez-nous, pis par après je me sus marié avec ma vieille pis j'ai eu des petits, comme tout un chacun. Mais je t'en passe un papier que je sus pas près d'oublier c'te femme-là.

Bon! ben on est aussi ben d'arrêter de parler de ça avant que l'envie me pogne de tricher ma femme ...

Mais tout ça pour te dire, j'y r'pense là, que les femmes de mon temps, les belles femmes je veux dire, c'était pas des échalotes comme astheure. Ca avait une bonne couche de graisse sus les os, pis quand tu tombais sus le ventre là-dessus, ça faisait moins mal que de tomber sus une harse à di'ques!

CHAPITRE NEUVIEME

Ouais! On fait ben des affaires dans notre vie qu'on devrait pas faire. Moé je m'en sus confessé d'avoir couché avec la nympho quèque chose, là, pis le curé était pas content pantoute. Y m'a dit que j'avais faite pleurer la sainte Vierge, pis que quand je voyais des femmes je devais plutôt penser à ma mére pis à mes soeurs. C'est drôle les curés! Un boutte je me sus demandé si y aurait pas aimé mieux que je couche avec mes soeurs! ...

Toujours qu'y m'a donné un rosaire comme pénitence, pis y m'a dit de prier la bonne sainte Anne pour qu'a m'aide à rester un bon garçon pis à pas gaspiller ce que le bon Yeu m'avait donné en vue du saint sacrement du mariage ...

Dans ce temps-là, c'était pas comme astheure. La religion, c'était quèque chose: la grand-messe le dimanche, pis le premier vendredi du mois, les vêpres, les cérémonies de la semaine sainte, les embrassages de reliques, les retraites, les pélerinages... C'est ben simple, on finissait pus.

Pis à part de d'ça, pas des p'tites messettes pis des

p'tites cérémonies vite faites comme astheure: la grand-messe, ça durait une heure et demie; là-d'sus le curé prêchait trois-quarts d'heure, une heure, pis j'aurais ben voulu voir le mécréant qui aurait voulu sortir avant la fin! Le curé y lâchait un beugle, mon gars, tu peux être çartain que les pressés avaient affaire à r'gagner leu' banc assez raide!

Pis quand t'allais à confesse, oh donc! Je t'en passe un papier que tu y allais pas pour des pinottes. Le curé te lavait à grande eau. Tu sortais de la boîte blanc comme un ange, avec des chemins de croix ou ben des rosaires comme pénitence. Astheure c'est pus de même: c'est rendu, calvette, que tu tuerais pére et mére pis je me demande si le curé te donnerait plusse qu'un "Je vous salue Marie" ...

La communion c'est pareil: dans ce temps-là fallait pas que t'aies bu ni mangé après minuit, ou ben donc tu pouvais pas communier, pis tout le monde te regardait de travers. Je m'en rappelle une fois, ma femme avait mal à la gorge pis en se rinçant la bouche un dimanche au matin alle a envalé quèques gouttes d'eau. Pas le droit de communier.

C'est maudit, quand on pense à ça comme faut. On se levait à cinq, six heures pour faire le train, tirer les vaches, soigner les animaux, atteler; on arrivait au village vers dix heures et quart, on rentrait dans l'église à dix heures et vingt-cinq pour la messe de dix heures et demie! ... Je t'en passe un papier que quand la communion arrivait, on la mangeait avec appétit, l'hostie. Pis quand on sortait de la messe on avait la falle basse en calvette. C'est pour ça que le dimanche au midi on mangeait tout le temps comme des cochons.

Astheure c'est pus de même, c'est rendu que tu peux quasiment communier tu-suite après manger. Pis le vendredi pis le carême c'est pareil: aux jours d'aujourd'hui tout le monde mangent de la viande le vendredi, pis le carême, d'après moé, les jeunes savent même pus ousque c'est dans l'année. Quand j'étais jeune, le carême, tu peux être çartain qu'on savait ce que c'était en simonak. Pis le vendredi, si y en aurait eu un de nous autres qui aurait mangé de la viande, y aurait eu affaire à se confesser au pus vite, parce que c'était péché mortel.

J'comprends quasiment pas ça moé: dans mon temps, y avait ben plusse de péchés qu'astheure ... Pourtant me semble qu'on n'était pas pus méchants. Seulement dans ce temps-là on n'avait pas besoin de faire de quoi pour faire un péché: on avait ienqu'à penser. Tu voyais passer une belle fille, ça te chauffait les sangs, pis fallait que tu t'en confesses. Pis c'était de même pour toute.

Aux jours d'aujourd'hui, c'est rendu que tu fais n'importe quoi pis si tu vas te confesser c'est ben juste si le curé rit pas de toé. C'est à crère que nos parents pis nos grands-parents sont damnés pour avoir faite des affaires qui sont même pus péché astheure!

En tous cas ça a ben changé, la religion. Les curés portent pus de soutanes, les soeurs sont en minijupes, les fréres y en a quasiment pus, les églises s'en vont en gandole, pis les presbytères ça force si y font pas des veillées de danse là-dedans.

Je te garantis que dans mon jeune temps, chose, le gars qui allait danser le samedi soir, y avait affaire à se confesser le dimanche au matin! Ris pas ... Je pourrais te conter des affaires qui te feraient rire encore ben plusse que ça. Les retraites, tiens, t'as jamais connu ça toé, probablement?

Ca durait des semaines, mon gars! Y avait un capucin ou ben un pére blanc qui venait, pis qui faisait trois quatre sarmons par jour. Y avait des heures pour les gens mariés, des heures pour les jeunes filles, des heures pour les garçons, pis des fois itou des heures pour les enfants d'école. Toute la paroisse y passait. Le pére nous parlait du yable pis de l'enfer, pis de l'impureté, toutes sortes de gamiques de même. A la fin de la semaine t'allais à confesse, pis je t'en passe un papier que le pére te trouvait des péchés que t'aurais même pas pensé d'avoir faites.

Une fois, je m'en rappelle, y nous est arrivé un capucin; un gros et grand homme avec une barbe noire, qui avait quasiment faite le tour du monde d'après le curé, pis qui s'était faite couper une main par les Chinois pas longtemps avant. Y prêchait ce pére-là, c'était maudit. On en tremblait dans nos culottes à force. C'est ben simple, y nous contait des histoires de yables qui se faufilaient parmi le monde pour nous faire faire des péchés, pis y nous contait que les feux de l'enfer ça chauffait plusse qu'un feu de forêt pis que ça arrêtait pas de chauffer ... En tous cas c'te fois-là le monde sortaient de la retraite blêmes comme des draps, pis on se regardaient un l'autre pour voir si le yable serait pas au milieu de nous autres.

T'as pas connu ça, toé, mon jeune.

D'une façon c'est aussi ben, parce que c'était pas drôle tout le temps. On était quasiment esclaves. On avait assez peur de se regarder ou ben de se toucher impurement qu'on n'osait pour ainsi dire pas se laver le péteu. Quand on allait avec notre femme, c'était pour faire notre devoir d'état, pas pour avoir du fonne. Pis la femme, si alle avait le malheur de se laisser aller un peu pis de lâcher quèques petits soupirs de jouissance, fallait qu'a s'en confesse. Y en avait des plus scrupuleux que les autres, j'te mens pas, y se sortaient quasiment le péteu avec des pincettes pour pisser, à force qu'y avaient peur de se le toucher ...

Ah! maudit oui! Dans ce temps-là, la morale, je t'en passe un papier que ça voulait dire quèque chose! Mais remarque que, pour être ben franc, on n'était pas plusse saints pour tout ça. Si les tasseries de foin pourraient parler, y t'en conteraient des belles, prends-en ma parole. Pis entre nous autres, une tasserie de foin, c'est plus confortable que le darriére d'un vochewagine ...

Ouais! En tous cas! P't'êt ben que dans le fond on était plusse hypocrites pis c'est toute. T'es aussi ben de pas avoir connu ça, d'une façon.

Mais d'une autre façon, y avait des affaires dans ce temps-là qui étaient mieux qu'astheure ... Prends la messe par exemple: ça se chantait en latin, avec la maîtresse d'école qui touchait l'orgue; c'était pas mal plus beau que leu's p'tites chansons de tapettes qu'y chantent astheure avec des guitares qui sonnent le fêlé.

Des cantiques, c'est des cantiques; pis les beaux cantiques, y sont en latin. On comprenait pas trop trop ce que ça voulait dire, mais ça fait rien, me semble que c'était plusse religieux. Ah! ben sûr y avait le "Minuit chrétien" à Nouel, pis le "Ca berger" pis "Les anges dans nos campagnes"; mais ça c'est pas pareil, c'est des cantiques de Nouel, ça s'est tout le temps chanté en français.

C'était beau à Nouel, ti-gars, dans mon jeune temps ... Des fois y te faisait des maudites tempêtes, on voyait ni ciel ni terre, on arrivait à la Minuit comme des bonshommes de neige. Mais la Minuit, c'était quèque chose: la crèche, les cantiques, la procession des enfants d'école costumés comme des anges ... Pis le sarmon était jamais sévère ce soir-là, le curé nous disait ienque de pas trop prendre de boisson, mais à part de d'ça y nous parlait du p'tit Jésus pis y nous contait l'histoire des rois mages, pis tout ça.

Après les trois messes on r'partait en carrioles, tout un chacun avait des gorlots après son joual pis sa voiture, ça fait que ça sonnait tout le long du chemin, pis ben souvent le monde chantaient. Des fois y avait de la neige à pleine clôture pis les jouaux calaient jusqu'au fourchon, mais ça faisait rien, on se donnait un coup de main un à l'autre, pis c'était beau pareil.

Rendus chez nous on dételait, pis après ça on réveillonnait: du pâté à la viande, des cortons, un bon rôti de cochon, des beignes, pis l'caribou ... Je m'en rappelle, dans ce temps-là, on avait des assiettes creuses, ça fait qu'on mangeait notre soupe aux pois avec une patate dedans, pis après ça on gardait la même assiette pis on se faisait remplir ça ben comble de viande pis de patates. On n'était pas riche, c'est vré, mais maudit je peux toujours ben dire qu'on a toujours mangé à notre faim ... pis des fois plusse!

Après le réveillon, c'était les cadeaux. Nous autres chez-nous on a toujours faite un arbre de Nouel, ça sentait le bon sapin dans la maison, pis on trouvait les cadeaux accrochés dans les branches. Les enfants avaient une orange pis des nananes, les plus vieux avaient des mitaines de laine ou ben des bas que la mére avait tricotés. Dans le temps que mon oncle Octave est resté chez-nous avant de mourir, y donnait en plusse une piasse à chaque enfant, pis un cinq pour le pére pis la mére. C'était sa seule dépense de l'année, le bonhomme, avec son tabac pis ses paparmanes.

Y diront ben ce qu'y voudront, mon ti-gars, mais Nouel astheure c'est pus comme dans ce temps-là. Aux jours d'aujourd'hui, y a des péres Nouel à toutes les coins de rues, pis dans toutes les magasins, pis le monde commencent à faire des ventes pis à fêter au mois d'octobre. Ca fait que rendu à la journée de Nouel, y a pus parsonne qui a envie de fêter.

Quand on pense à ça comme faut, ça a pus de bon sens: les enfants, y en a pus un bagatême qui cré au pére Nouel, y le voient tous les jours au magasin ou ben à la télévision, pis y finissent tout le temps par reconnaître l'acteur. Prends Jean Brisson à Rimouski, ça fait une maudite secousse que les enfants savent que c'est lui!

Pis la messe de minuit, c'est pus une messe de minuit, c'est une petite messe qui dure pas une demi-heure, pis y chantent même pus le "Minuit chrétiens" ... Le monde vont là avec leu' char quand y font tant d'y aller pis tu peux être sûr que si y en a un qui prend le champ en s'en revenant, les autres arrêteront pas pour y donner un coup de main, ben souvent. Va falloir qu'y appelle un garage pis qu'y se fasse sortir par une crinque.

Le réveillon on n'en parle pas: astheure ça réveillonne avec de la soupe en canne, du ragoût de boulettes en conserve pis des gâteaux qui viennent du magasin. Ca force si y en a pas qui réveillonnent avec leu's calvettes de pizzas réchauffées!

Mais des cadeaux, ça, par exemple, y en a en masse. Des aréoplanes en plastique pis des catins en robeure, des fusils à l'eau pis des singes en boîte, toute un tas de torvisse de bébelles qui se cassent en les dépaquetant pis qui coûtent les yeux de la tête. Les enfants voient ça à la télévision, pis y viennent fous raides: "papa achète-moé ci, papa achète-moi ça", pis le papa, beau nono, y achète.

J'en ai jamais eu d'aréoplanes en plastique pis de piste de course, moé, mais j'sus pas mal çartain que j'étais plusse content d'avoir un nanane dans ce temps-là que les jeunes d'astheure d'avoir des bébelles à vingt pis trente, quand c'est pas cinquante piasses.

Je trouve ça écoeurant, pour dire le vrai. Nouel c'est pus une fête, c'est une vente. Avant ça, dans le temps des fêtes, les gens se rencontraient sus le perron de l'église: astheure y se rencontrent dans les magasins. Y a pas besoin d'avoir la tête à Papineau pour comprendre que les compagnies sont en train de passer un sapin au monde correct. Y se sarvent de la fête de Nouel pour vendre leu's cochonneries à des prix de fous!

Pense à ça un p'tit brin, tu vas t'apercevoir qu'y a des affaires que pas une parsonne de bon sens achèterait au mois de juillet, pis au mois de décembre ça se vend comme des petits pains chauds. Pis t'as d'autres affaires qui se vendent cinq piasses au mois de juillet, pis au mois de décembre ça se vend dix piasses. Pourtant ça se vend, tout un chacun se tire dans les magasins pour dépenser;

t'offrirais de la belle bouse de vache ben enveloppée à deux piasses la bouse, pis avec de la bonne publicité, d'après moé t'en vendrais à la tonne pis y en a qui donneraient ça comme cadeau de Nouel!

Le monde sont fous, bagatême que le monde sont fous! ...

CHAPITRE DIXIEME

C'est pareil comme le jour de l'An, ça; astheure le jour de l'An, c'est quasiment une journée comme les autres, mais anciennement c'était une grosse fête. Le monde se promenaient de maison en maison pour se souhaiter la bonne année pis le paradis à la fin de vos jours, pis pour donner des becs aux créatures. Dans ce temps-là, on sait ben, ça s'embrassait pas à pleine gueule n'importe où pis n'importe quand: fallait avoir des occasions, pis le jour de l'An c'était encore la meilleure occasion ...

Ris pas: quand on allait voir les filles, nous autres, on n'allait pas se renfarmer dans une chambre comme vous le faites aux jours d'aujourd'hui; on s'assisait au côté de notre blonde dans la cuisine, entre la mére qui tricotait pis le pére qui fumait sa pipe, ou ben on passait au salon pis la bonne femme venait nous offrir du nanane à toutes les cinq minutes pour voir si on se dôdichait pas trop ...

Pis rendu vers les onze heures, quand on n'était pas encore parti, le bonhomme se levait pour faire du feu dans le poêle pis y nous demandait si on commençait pas à s'endormir ... Ca fait que les becs, on en volait toujours ben quèques-uns en cachette icitte et là, mais seulement c'était pas assez pour rabaisser le feu. On se reprenait au jour de l'An. Surtout qu'au jour de l'An on n'embrassait pas ienque notre blonde, on embrassait les autres filles itou. Des fois on se voyait pris pour donner un bec à des tantes ou à des cousines qui étaient laites comme sept culs pendus sus une corde à linge, mais un dans l'autre on aimait mieux toutes les embrasser que pas en embrasser pantoute!

Remarque que le jour de l'An c'était pas juste ça. C'était une fête d'Eglise, pour commencer, le baptême de Notre-Seigneur. On allait à la messe avec les mêmes voitures qu'au jour de Nouel, seulement on y allait le matin au lieu d'y aller à minuit. Ensuite les souhaits, ça comptait ... C'était pas ienque des politesses comme astheure: dans ce temps-là, on prenait le temps de penser aux souhaits qu'on faisait. Ma vieille mére était bonne pour ça, elle; a me disait: "Je te souhaite une bonne pis une sainte année, de la santé, du beau temps pour tes récoltes, pas trop de miséres quand ta femme va avoir son petit, pis de la chance dans toutes tes entreprises. Pis le paradis à la fin de tes jours".

Pis a faisait le tour de même; a disait à chacun les meilleures choses qu'a pouvait y souhaiter; un bébé aux jeunes mariés, un veuf aux vieilles filles, des bonnes notes aux ceusses qui étaient aux études, pis toute de même.

Mais ça, c'était après la bénédiction. La première affaire qu'on faisait en revenant de la messe, c'était de se mettre à genoux pis de demander la bénédiction à notre pére. Le pére chez-nous c'était pas un parleux ben ben;

d'ordinaire y aimait mieux écouter les autres parler. Mais c'te journée-là, on aurait dit qu'y était comme qui dirait inspiré, pis avant de nous bénir y nous faisait tout le temps un petit discours pour nous parler de ce qui s'était passé l'année d'avant, pis pour nous dire ce qu'y espérait de l'année neuve. Ca durait jamais longtemps, mais je te garantis que c'était aplomb.

A la fin y nous bénissait, pis là on se faisait nos souhaits en famille; après ça on dînait, pis aussitôt levés de table on partait pour faire le tour des voisins pis de la parenté, à moins que ça soit la parenté qui vienne chez-nous.

C'est ben entendu qu'on prenait un coup des fois un peu fort ... Un p'tit blanc icitte, un p'tit caribou là, ça venait qu'on était pompettes pas mal. Surtout que le soir, de coutume, on avait des veillées de danse, pis qu'entre deux sets y fallait ben se mouiller le darriére de la cravate pour se refaire des forces un peu. Des fois on se le mouillait assez qu'après ça on avait de la misére à souigner la bacaisse jusque dans le fond de la boîte à bois ...

En tous cas! C'est pas mal passé, tout ça. Je te dis qu'aux jours d'aujourd'hui, les bénédictions paternelles pis les souhaits pis les danses carrées pis tout le reste, ça a pas mal pris le bord. Une chance que les magasins donnent encore des calendriers pis qu'on les accroche c'te journée-là, parce qu'autrement pus parsonne s'aparcevrait quand est-ce qu'on est rendu au jour de l'An.

CHAPITRE ONZIEME

Parlant de souigner la bacaisse, je te dis que vous autres, les jeunes d'astheure, vous me faites ben rire avec vos danses modernes ... Remarque que c'est pas parce que vous êtes plus fous que les vieux: nous autres itou on a inventé des danses folles pis on en a dansé: le charleston c'était pas le yable mieux que votre yéyé, pis le jitterburg c'était pas loin de vos simagrées d'aujourd'hui. Seulement nous autres, on dansait pas ienque ça. On dansait des sets carrés pis des Paul-Jones, pis de temps en temps on valsait.

La valse, ça c'est une maudite belle danse. C'est pas trop collé, ça donne pas trop d'idées cochonnes, pis en même temps ça donne une défaite pour jaser avec une fille ... Moé c'est ça que je comprends pas dans vos danses modernes, c'est que vous vous éjarrez des veillées de temps pis ben souvent vous dites pas un mot à votre compagnie ... Que c'est que ça donne d'aller se branler les bras pis de se tortiller le troufignon dans une salle pleine de boucane avec une musique qui vous casse les oreilles, je te le demande?

Moé j'ai pour mon dire que quand tu vas danser avec une fille c'est pour y chanter la pomme un petit brin ... Pis si tu t'adonnes à danser avec une fille que tu connais pas faut ben que tu y parles avant de la lâcher, hein? ... Une valse, c'est ce qu'y a de mieux pour ça. Pis même un set carré, quand tu souignes ta compagnie au moins tu peux y dire quèques mots dans le creux de l'oreille.

Mais vos yéyé pis vos yaya pis vos yoyo, c'est pas ça pantoute: vous arrivez dans la salle l'air quasiment écoeuré d'avance, la musique joue assez fort que ça donne mal au bloc, pis là vous vous plantez en face des filles en rangées comme des piquets de clôture, pis vous commencez à vous faire aller les abats à hue pis à dia, ben souvent sans savoir qui c'est la fille qui est en avant de vous autres ... Quand on rentre dans la salle pis que la lumiére s'adonne à éclairer un peu, on regarde ça pis ça fait penser à une talle de blé d'inde pris dans le vent d'automne. Je le sais, je sus allé quèques fois attendre Denise à la porte de la salle paroissiale.

Je me demande le yable que c'est que vous trouvez de beau là-dedans. Vous vous parlez pas, vous vous touchez pas, ben souvent vous vous regardez même pas. Moé des gars qui dansent chacun pour eux-autres, je me dis que ça doit être des gars qui aiment mieux se passer un Dieu-seul-me-voit darriére la porte de la grange que de renvarser une fille dans la tasserie de foin ... Mais faut crère que j'ai pas raison de penser ça, parce qu'y a autant de filles-méres aux jours d'aujourd'hui qu'y en avait dans mon jeune temps. La différence, c'est qu'astheure y s'en cachent moins ...

Une autre affaire qui me chicote dans vos veillées de danse, c'est la musique. C'est pas que ça soit pas beau, des fois y a des beaux morceaux pis des pas pire chansons; mais bagatême, veux-tu ben me dire pourquoi c'est faire que c'est tout le temps fort de même? Ma foi du bon Yeu, je sus allé à une noce l'été passé, je te mens pas, l'orchestre jouait assez fort que je pensais que le plafond de l'hôtel allait lever! Tu vas toujours ben pas me faire accrère qu'y seraient pas capables de jouer comme du monde sans éventer les cris pis sans mettre leu's haut-parleurs au boutte? ...

Je voudrais pas passer pour critiqueux, mon jeune, mais laisse-moé te dire que dans mon temps les bons chanteurs c'étaient les ceusses qui avaient les plus belles voix. Pis les meilleurs violonneux c'était pas les ceusses qui nous sciaient les oreilles, c'était ceux-là qui jouaient juste.

Prends Tino Rossi, si y en a un qui avait une voix douce c'est ben lui. J'ai jamais entendu Tino Rossi crier dans ses chansons. Maurice Chevalier c'est pareil. Pis par icitte on avait des gars comme Jean Lalonde pis le soldat Lebrun, je t'en passe un papier qu'y avaient pas besoin de se brasser comme des queues de veaux pis de mener du train comme des poulies mal graissées pour qu'on aime ça, les écouter chanter.

Moé je m'en rappelle le soldat Lebrun, y avait une chanson qui faisait quasiment toujours pleurer ma vieille; c'était:

"Allo, central à longue distance,
Je voudrais parler à ma mére,
Elle est là-haut avec les anges,
Moé je suis orphelin sur terre ..."

Pis là y te contait l'histoire du ti-gars que sa mére est morte pis qui s'ennuyait d'elle ... Le soldat Lebrun y avait pas de guitares électriques pis de tambours pis d'affaires de même; y chantait avec sa p'tite guitare ordinaire pis avec son coeur. Y avait pas de p'tites échauffées qui couraient après lui pour l'embrasser pis y déchirer sa chemise; pis les journaleux pardaient pas leu' temps à nous dire à quelle heure qu'y allait pisser comme y le font pour les vedettes d'astheure; seulement on l'aimait ben, le soldat, pis y le savait.

Dans ce temps-là, vois-tu, le monde étaient plus résarvés qu'astheure pis plus respectueux itou. Quand un artisse montait sus le théâtre, y prenait la peine de s'habiller proprement. Y avait pour son dire que si le monde se dérangeaient pour aller le voir, ça voulait la peine qu'y se montre à eux-autres habillé comme un monsieur. T'en parleras aux vieux, quand la troupe à Grimaldi se présentait quèque part, y faisaient attention pour respecter leu' public pis pour se faire respecter de leu' public.

Pis ça c'était pas ienque vrai pour les chanteurs pis les acteurs: la famille à Victor Delamarre venait dans le Bas-du-Fleuve itou des fois pour faire des tours de force, pis prends-en ma parole que monsieur Delamarre y passait pas son temps à traîner dans les hôtels pis à crier des noms au monde comme les lutteurs d'astheure.

Toé tu te rappelles pas de d'ça probablement, Victor Delamarre. Y devait être mort quand t'es venu au monde. Ca, mon gars, c'était un homme! Pas grand ni gros, y mesurait pas plusse que cinq et huit pis pour moé y devait pas peser cent soixante; mais laisse-moé te dire qu'une roche y pesait pas pésant au bout du bras. Y dévissait me semble que c'est au-dessus de trois cents livres ienque d'une main. Y se pliait en deux en dessoure d'une plaque-forme, on montait des dizaines de parsonnes sus la plaque-forme, pis y nous levait de terre à la force des reins. C'était quasiment pas creyable. J'ai jamais vu un homme fort de même.

Ses enfants étaient pas pires eux autres itou, mais y étaient pas comme leu' pére. En tous cas moé j'ai vu mon frére Clophas tirer du poignet avec Victor Delamarre, pis tu connais Clophas, c'est pas un enfant d'école ... ben Delamarre le cassait comme y voulait, sans forcer. Pourtant Clophas était quasiment deux fois gros comme l'autre.

Tu le connais pas, Clophas? Sans rire? Ben ça parle au maudit! Attends, je vas te rouvrir une autre biére, pis je vas te parler de mon ti-frére ...

INTERMEDE

J'étais maintenant pour le Vieux plus qu'un journaliste de passage, plus qu'un jeune qui s'occupe des vieux; plus même qu'un confident: j'étais une occasion de revivre le passé, son passé, sa jeunesse, le temps de sa pleine force et de ces exploits par lesquels son frère et lui méritent de se comparer aux Monferrand, Cyr, Baillargeon et autres.

Et je pensais, en le voyant si droit sur sa chaise, en regardant les quelques gestes de ses mains énormes, à ces ancêtres qui jetaient par terre les forêts, qui semaient des villages, qui baptisaient de leur nom et de leurs sueurs les montagnes et les lacs.

Quel que soit le lustre d'une civilisation, sous le vernis le plus brillant, il y a toujours la rude écorce des pionniers ...

CHAPITRE DOUZIEME

Vois-tu, moé, tel que tu me vois, je sus pas un géant: cinq pieds et dix, cent quatre-vingt-dix livres, pas trop de mauvaise graisse; mais prends-en ma parole que j'ai toujours tenu mon boutte pour charger des billots ... ou ben de l'érable ou du bois de pulpe. J'en ai charrié en masse dans mon jeune temps, pis ça prenait un maudit bon homme pour monter son bord de plaque-forme avant le mien. Ce que je trouvais le plus dur sus le reinquier, c'était de charger du foin à la petite fourche ... C'est vré que j'étais pas feignant pis que j'attendais pas que le fouleux me le demande pour souigner ma vailloche! En tous cas ...

Tout ça pour te dire que je sus pas un feluette. Mais au côté de mon frére Clophas, j'ai l'air d'un petit poucette. Clophas, mon gars, lui c'est un vré boulé: y mesure plus que six pieds, y doit péser ben proche deux cent cinquante livres, pis laisse-moé te dire que si y te mettrait la main sus le corps, chéti comme que t'es, y en resterait pas assez pour faire un enterrement. C'est pas parce que je veux te faire choquer, mais en face de Clophas, t'aurais l'air d'un piquet en face d'un bouledozeur. Clophas, si tu le connaîtrais, tu saurais ce que c'est qu'un homme fort.

Laisse-moé te conter la fois que Clophas avait vidé un hôtel à la ville. Ca fait ben vingt-cinq, trente ans de ça, je crés ben ... en tous cas, c'te journée-là, je m'en rappelle, Clophas pis moé on était montés à la ville par affaires, pis avant de r'descendre on avait décidé d'aller prendre une ponge à l'hôtel. Ca fait qu'on rentre à l'hôtel, on s'assit, on demande notre ponge, pis on jase, tranquillement, pas vite. Faut dire que Clophas c'est un homme ben tranquille, ben doux; ça y en prend à plein pour le faire choquer. Mais quand y se choque, tu vois le yable!

Toujours! Y avait ben une dizaine de parsonnes dans le bar, je pense ben. Des gars de bois, des camionneurs, pis quèques flâneux comme de raison. Ca faisait à peu près un quart d'heure qu'on était là, quand v'la-ti-pas qu'y arrive cinq espèces de touristes, avec des chemises fleuries pis des kodaks, les masses en l'air, pis ça parle anglais à pleine gueule. Y viennent s'assire à la table au côté de la nôtre, y se mettent à cogner sus la table pis y se demandent du rye pis du gin.

Clophas pis moé, on parle pas.

Toujours que les Anglais regardent autour d'eux-autres, pis y se parlent en anglais, pis y ont ben du fonne. Y boivent leu' gin pis leu' rye, pis y en demandent d'autre. Faut dire qu'y en avaient dans le corps avant d'arriver, ça paraissait. Ca fait que v'la-ti pas qu'un bon moment donné y en a un, une espèce de grand fanal avec des lunettes noires, qui s'éjarre en parlant, pis à force de faire des sparages y finit par maudire une claque darriére la tête à Clophas.

Clophas se r'vire, y le r'garde. Le gars y baragouine

quèque chose en anglais, pis y se r'vire vers les autres, pis y partent toutes à rire. Clophas, je te l'ai dit, c'est pas un malin. Y a rien faite, y a continué à prendre sa biére; mais j'ai ben vu qu'y commençait à blêmir.

Ca a pas pris de temps, deux trois minutes après, v'la mon Anglais qui s'écartille encore pis qui r'donne encore une claque à Clophas. Là Clophas a levé ben carré, y s'est planté en arriére de l'autre, pis y a dit:

- Toé le maigre, refais ça encore une fois pis tu vas recevoir mes cinq fréres en pleine face!

L'Anglais se lève, son verre dans les mains, pis y se plante devant Clophas. On aurait entendu voler une mouche dans le bar. Les autres Anglais se lèvent à leu' tour, pis je me lève moé itou. Moé je m'attendais à toute, mais pas à ce qui est arrivé. Je savais que Clophas était fort comme un joual, mais je pensais pas qu'y était vite comme un taon.

Toujours que l'Anglais, c'te calvette d'enfant de chienne-là, y fait ni une ni deux, y tire son verre dans la face à Clophas. Le reste, ça s'est passé dans l'espace d'un éclair.

Clophas penche sus le côté, pis c'est moé qui reçois le verre sus ma chemise. En se r'levant, Clophas te maudit un coup de poing drette sus la margoulette du gars, mon chose, ça a fait "clap" pis le gars a levé de terre carré, y a passé par-dessus la table pis y est allé s'effoirer sus le dos au travers des verres cassés pis des toppes de cigarettes.

Mais avant qu'y soit rendu à terre, Clophas a déjà pogné deux autres Anglais par le chignon du cou, y fait "han!" pis bang! y leu' cogne la tête ensemble; saint cibole, j'ai pensé qu'y leu's avait défoncé le coco. Ca fait que ces deux-là tombent un par-dessus l'autre sus la table.

Les deux autres qui restaient, y étaient moins ricaneux, y tremblaient dans leu's culottes en simonak. Mais y ont pas pissé: y en a un qui a pris une chaise, l'autre a ramassé une bouteille par le goudron, pis y se sont mis à avancer sus Clophas. Là j'ai voulu m'en mêler, mais Clophas m'a barré le chemin:

- Assis-toi, ti-frére, qu'y m'a dit; je vas régler ça tuseul.

Pis là y fait deux-trois pas de danse, pis y te blasphème un coup de pied dans la fourche du gars qui avait la bouteille; en même temps y r'pare la chaise que l'autre voulait y casser sus la tête, pis y y sacre un coup de poing sus le nez. Le sang, ça pissait. Pis l'autre, le gars avec la bouteille, y était plié en deux pis y se renvoyait les tripes.

Je t'en passe un papier que le grabuge a fini là. Les Anglais sont sortis en se tenant un après l'autre, l'hôtelier a passé la moppe sus le plancher, pis Clophas pis moé on a fini de boire notre ponge tranquillement. Y a pus parsonne qui est venu nous achaler, entends-tu?

En te parlant de Clophas de même, ça me fait penser aux lutteurs de la télévision. Eux-autres ils en font de la broue! ... Pis les arbitres, on en parle pas. Eux-autres c'en est une bande de maudits innocents. Y sont ienque bons à r'virer le cul à la crèche quand ça serait le temps de faire leu's ouvrage. Moé j'ai pour mon dire que ienqu'à voir agir les arbitres, y me font penser aux juges: quand c'est le gros méchant qui fait des mauvais coups, y le laissent faire; pis quand c'est le p'tit bon qui se r'vange, y te le disqualifient au coton.

Le crime organisé, comme y disent. C'est ben le temps qu'y en parlent, depuis le temps qu'on se fait organiser correct par les compagnies de finance pis les syndicats! En tous cas! Moé je lis ça sus le Soleil pis je prends ça à la télévision, pis j'en reviens pas de voir comment c'est que les gouvarnements peuvent mettre des gants blancs quand c'est le temps de coffrer des bandits ...

Maudit torrieu, à voir ça on dirait que plusse que les bandits sont bandits pis plusse qu'y méritent du respect. Quand c'est un petit voleur qui fait un coup, comme le Philémon à Baptiste, y te le punissent ça prend pas goût de tinette. Philémon avait volé cinquante piasses au bureau de poste: ça pas été long que la police est venue le charcher, y a passé en cour, le juge l'a condamné à deux mois de cachot, pis Philémon a faite ses deux mois, pas un jour de moins. Y a pas eu de traînage pis de cautionnement pis d'appel pis de remise de peine pis de gueling-guelang de même. Ca s'est réglé raide, frette, sec, net.

Mais quand c'est des gros bandits, c'est pas ça pantoute: ben souvent la police les arrête même pas, pis quand a les arrête là le chiard commence: les avocats se font aller la gueule, les bandits sortent sus caution, les juges se renvoient la patate chaude un à l'autre, pis ça traîne. Des fois ça traîne assez que quand le procès est fini pus parsonne se rappelle ce que l'accusé avait faite. Pis quand les gars sont condamnés à dix ans, ben calvette y sortent au bout de deux ans, pis y recommencent.

Des fois je me dis que Philémon aurait été aussi ben de voler cinquante mille piasses au lieu d'en voler cinquante, comme ça y aurait p't'êt ben pas faite de prison pantoute, charche. On sait jamais. En tous cas moé j'ai pour mon dire que quand la police met la patte sus un

T'es au courant de d'ça, c'est une affaire qu'y parlent à plein aux nouvelles de ce temps-citte, ça, la pègre ... malfaiteur, qu'y soit gros ou ben qu'y soit petit, ça devrait être la même justice pareil. Qu'y te le fourrent dedans, qu'y le jugent au plus sacrant, pis si y est coupable qu'y le laissent dedans jusqu'à la fin de sa condamnation; pis si c'est un gars qui a tué, qu'y te le pendent, sacrement! Ca va montrer l'exemple aux autres, pis ça va nous coûter moins cher de taxes.

C'est vré! C'est ben beau la réhabilitation pis toute, mais bonne viarge c'est pas une raison pour lâcher des tueurs lousses dans les rues. Le bon sens le dit: quasiment tous les malfaiteurs qui sont relâchés par la police se remettent à faire des mauvais coups aussitôt sortis de prison.

En tous cas moé je sus pas juge, mais j'ai une tête sus les épaules, pis je sais toujours ben que si je pogne un renard dans mon poulailler, je prends mon douze pis je flambe la tête du renard. Je le remets pas dans le bois pour voir si y va se ressayer à venir manger mes poules ... Pis je t'en passe un papier que quand ben même le renard aurait le meilleur avocat du monde, c'est pas ça qui m'empêcherait de le trimer.

Y a toujours ben des imites à se laisser manger la laine sus le dos par des maudits bandits qui ont même pas le coeur de travailler pour gagner leu'vie! Torrieu, c'est rendu que les cheufs de la pègre se promènent en Cadillac tandis que le monde honnêtes ont même pas le moyen de s'acheter du gaz pour mettre dans leu's bazous. C'est le temps qu'on arrête de dépenser de l'argent pour des procès qui en finissent pus pis qu'on arrête de se mettre à genoux devant des malfaiteurs parce qu'y sont habillés comme des ménisses pis qu'y sont compéres-compagnons avec des députés! Saint simonak, quand un gars a faite du mal, qu'y te le coffrent pis ça finit là!

En tout cas, moé, ça m'enrage de voir ces maudites affaires-là, j'aime autant pas en parler. Ce serait à vous autres les jeunes à contester contre ça: d'abord vous aimez ça la contestation ...

CHAPITRE TREIZIEME

C'est vré: les jeunes d'astheure vous pensez pus ienqu'à contester, mais ce qui est drôle c'est que ben souvent vous contestez pas contre les bonnes affaires ... Si vous contesteriez contre la pègre ou ben les compagnies de finance ou ben la publicité ou contre les folleries qu'y vous montrent à la télévision, je dis pas. Vous pourriez contester itou contre leu's modes de fous ou ben contre les ceusses qui lâchent la terre pour aller se fourrer dans la misére dans les villes.

Mais c'est pas ça pantoute: vous contestez quasiment ienque pour des affaires niaiseuses: pour avoir le droit de fumer de la drogue ou ben pour que les femmes se fassent avorter, ou ben pour pouvoir vous habiller en mi-carêmes dans les écoles, ou ben parce que les supérieurs des cégeups veulent vous faire étudier au lieu de courir dans les tavarnes pis de parler de politique dans les classes.

Moé ces contestations-là, ça me fait rire plusse que d'autre chose. Voir si vous avez besoin de fumer de la drogue pour être des hommes, saint calvette! As-tu vu un pareil maudit raisonnement de fou de même, toé? Vous avez pas besoin de contester pantoute, vous avez ienqu'à pas en fumer, de la maudite drogue! Tant qu'à faire, vous seriez aussi ben de contester pour avoir le droit de vous tirer en bas du pont ou ben avoir le droit de vous pendre ...

Pis c'est quand je les vois, moé, y font des sparages en disant que les vieux prennent de la boisson, pis y se défendent là-dessus pour dire qu'eux autres y devraient avoir la parmission de prendre de la drogue! Faut-ti être sans dessein? Comme ça, torrieu, si les vieux ont faite des folies, faut que les jeunes en fassent eux autres itou! Tu penses pas que ce serait pas mal plus intelligent de contester contre la boisson, plutôt de contester pour la drogue? Me semble que si on trouve qu'une affaire a pas de bon sens, c'est pas une raison pour vouloir avoir une autre affaire qui a pas plusse de bon sens. Pas besoin d'avoir la tête à Papineau pour comprendre ça.

Pis l'avortement c'est pareil! Calvette, les pharmaciens se fendent en quatre pour vendre des pilules, pis cinquante-six affaires pour empêcher la famille ... Les femmes ont ienqu'à s'en sarvir, comme ça y tomberont pas en famille pis y auront pas besoin de se faire avorter. Je dis pas, si une fille se fait violer pis qu'à se r'trouve pleine, là c'est pas pareil, c'est pas de sa faute. Elle, a peut se faire avorter, c'est comprenable. Mais les autres, y ont ienqu'à prendre les moyens pour pas se faire pogner voyons donc!

Je vas dire comme mon défunt pére, y ont ienqu'à se sarvir de leu' tête. Ca me fait rire, parce que le pére chez-nous y contait que le Nest à Ligouri, le soir avant ses noces, son pére y avait expliqué le problème de la chose, pis y avait fini son sarmon en disant: "En tous cas mon Ti-Nest, t'es rendu à vingt-six ans, t'es assez grand pour te débrouiller; t'as ienqu'à te sarvir de ta tête". Le lendemain des noces, le Nest r'tourne voir son pére, pis y était pas ben ben de bonne humeur. "J'ai essayé de me sarvir de ma tête", qu'y dit au bonhomme, "mais j'ai mangé une maudite claque! Ma femme voulait pas pantoute!"

Excusez-là!

Mais pour en revenir à nos moutons, là, j'étais en train de dire que vous vous désâmez pour rien à contester pour des affaires folles. Moé-même personnellement, j'ai vu une fois des jeunes qui se promenaient avec des pancartes en avant du cégeup, pis qui criaient: "A bas les examens!" Probablement que ces jeunes-là avaient pas étudié leu's leçons ni travaillé leu's devoirs, pis là y avaient peur de pas passer les examens, ça fait qu'y se sont mis à contester. Tant qu'à moé y auraient mieux faite de contester contre la télévision pis les autres affaires qui les empêchaient d'étudier.

Quand tu penses à ça comme faut, c'est rendu que ça a pas d'allure. Les jeunes voudraient quasiment avoir leu' diplôme avant de commencer à aller à l'école ...

En tous cas!

Mais en parlant de contestation, pour dire le vrai, faut dire que dans mon jeune temps on chiâlait ben un peu, nous autres itou. Mais au moins on avait des raisons pour chiâler, torvisse! T'as pas connu ça, toé ...

Quand on faisait le train, par exemple, pis qu'y fallait tout faire à force de bras: aller charcher le foin sus le fanil, pis descendre l'échelle à barreaux avec la botte de foin en dessoure du bras ... soigner les jouaux, tirer les vaches, donner à manger aux cochons, pis gratter les allées avec une pelle de bois pis tirer ça dehors sus le tas de fumier ... Pis l'eau! Dans ce temps-là on allait charcher l'eau au puit avec deux siaux de bois accrochés un chaque boutte du joug. Pis le chemin pour aller au puit, des fois, y venait glacé comme une patinoire ... C'est tout le temps dans ce temps-là que le maudit bélier décidait de se choquer pis de nous maudire un coup de tête dans le darriére. Je te dis que les fois que ça m'est arrivé, je contestais en calvette!

Aie! C'est pas des farces. Je m'en rappelle moé, quand j'ai commencé a défricher ma terre dans le troisième rang, j'avais ienque quatre vaches, pis un taureau comme de raison pour sarvir les vaches. Mais mon taureau, y me sarvait aussi pour échousser pis érocher le terrain. C'était pas d'avance comme les tracteurs pis les machines d'astheure; mais je t'en passe un papier qu'on prenait de l'exercice en torrieu. Les cordeaux d'une main, le bacul de l'autre, quand y fallait r'culer on criait: "bec, bec donc le Noir!" Pis là tu lâches les cordeaux, t'accroches le bacul, tu r'prends les cordeaux, pis "marche donc!"

Mais un maudit boeu', on sait ce que c'est, ça crotte à tout bout de champ! Ca fait que les cordeaux pis le bacul venaient coulants des fois, pis à la longue ça venait que les mains nous sentaient pas le savon d'odeur. Mais dans ce temps-là la pollution était pas à la mode, ça fait qu'on contestait pas trop.

Sais-tu, je pense à ça tout d'un coup: pour moé ça

doit venir de d'là le dicton, tu sais ben, quand une parsonne est jamais d'adon avec les autres pis qu'à passe son temps à revirer quand c'est le temps de donner un coup de collier; du monde de même, on dit que c'est des "chieux sus le bacul" ...

Le grand Pit à Gédéon était de même, lui. T'avais ienqu'à vouloir partir quèque chose, pis le Pit était contre. Ou ben y te promettait mer et monde avant que l'ouvrage commence, pis quand ça venait le temps de remplir ses promesses y chiait sus le bacul. Mais lui de son bord, quand y avait dans l'idée de faire quèque chose, fallait pas que t'essaies de le faire changer d'idée. Attends, je m'en vas te conter une histoire qui est arrivée, tu vas voir ce que c'est un gars têtu.

Imagine-toé donc que dans ce temps-là on n'avait pas de télévision, mais on avait des bons gros radios à lampes, pis pour prendre les programmes le soir ça prenait une lanterne. Le grand Pit, lui, comme de raison, y voulait tout le temps faire mieux que les autres. Ca fait qu'un bon moment donné y décide de se planter un grand maudit poteau drette en face de son chassis de cuisine, pis d'installer sa lanterne au boutte de d'ça. Sa femme a eu beau y chiquer la guenille, le Pit avait décidé de se planter un poteau, ça fait qu'y a creusé un trou pis y s'est planté un poteau.

Nous autres, on a ri de lui un peu; mais ça le dérangeait pas pantoute. Y disait que parsonne dans le rang prenait le radio aussi clair que lui, pis qu'y ôterait pas sa lanterne pour une terre en bois deboutte.

Mais v'la-ti-pas qu'une couple de mois après, le Pit se met dans la tête de se faire un trottoir en ciment pour aller de sa boîte à malle jusqu'à sa galerie ... Seulement le maudit poteau se trouvait à être justement en plein milieu de la place qu'y voulait passer son trottoir. Nous autres on trouvait ça fou un peu de gaspiller du ciment pour se faire un trottoir, mais on encourageait le Pit pis on riait de lui, en disant qu'au moins y allait être obligé d'ôter son poteau de devant le chassis. Ben cré-moé cré-moé pas, le Pit a coulé son ciment pis en passant par là le lendemain matin, on s'est aperçu que son torrieu de poteau était drette en plein milieu du trottoir! Y avait coulé le ciment autour!

La franche carabine, mon gars! Si tu me doutes t'as ienqu'à aller voir, c'est la quatrième maison au nordet dans le troisième rang. Le trottoir est encore là avec le poteau dans le milieu; seulement astheure c'est une lanterne de télévision qui est jouquée au boutte du poteau.

Maudit Pit à marde! Y nous a ben faite rire avec ça. Mais faut dire qu'y avait quèque chose à détenir: son pére, le Gédéon Thériault, c'était un moyen marle lui itou. Y est allé à la guerre de '14, le pére Gédéon, pis y astinait tout le monde que le général Pétain y avait déjà serré la main à Verdun. Je sais pas si c'est vré. Tout ce que je sais, c'est que depuis ce temps-là quand quèqu'un y donnait la main, Gédéon donnait toujours la main gauche, parce qu'y disait que la main drette y se la gardait comme qui dirait comme une relique. Tu parles d'un maudit braque! Je me sus toujours demandé si y se torchait de la main gauche, pour pas abimer sa relique! ...

En tous cas quand y prenait un coup, Gédéon, y regardait pas avec quelle main qu'y levait la bouteille. Quand y est mort, y avait assez de boisson dans le sang que les croque-morts auraient quasiment pas eu besoin de l'embaumer. Y se serait consarvé tu-seul.

Sais-tu, t'as l'air à fortiller pas mal; pour moé l'envie te pogne ... Vas-y, je vas t'attendre.

INTERMEDE

Le vieux démon avait bien raison. " L'envie " me tenaillait. Et ce qui ailleurs, avec d'autres gens, aurait été une ... inconvenance, n'était ici qu'une chose naturelle. Il n'y avait ni impudeur ni indélicatesse ni grossièreté dans le propos du Vieux: seulement la plus naturelle des sollicitudes.

Il faisait tout à fait nuit maintenant. Le Vieux regardait l'heure quand je revins du "petit coin", et je sentis que son récit allait bientôt se terminer.

CHAPITRE QUATORZIEME

Ouais, ça fait une secousse qu'on parle de toutes sortes de choses, mais je reviens là-dessus, là: toé, le jeune, trouves-tu ça beau par icitte? Moé en tous cas c'est ben simple, je sus sorti en dehors quèques fois, pas ben souvent, mais assez pour en avoir vu pas mal grand; pis à la fin du compte c'est encore icitte que je trouve ça le plus beau. Moé, je commence à me sentir chez-nous à peu près à partir de Sainte-Anne-de-la-Pocatiére jusqu'à Matane à peu près; plus loin que ça, j'me sens pas à mon aise. Je sais ben qu'y a des belles places ailleurs, mais pour moé c'est pas comme le Bas-du-Fleuve ...

Icitte vois-tu, t'as le fleuve qui est jamais loin, t'as des belles terres à culture, des villages pas trop gros pis de coutume ben propres, des petites villes par trop villes, comme Riviére-du-Loup, Trois-Pistoles ou ben Rimouski. Remarque que Rimouski c'est rendu que ça grossit pas mal ... mais ça fait rien, le monde ont pas changé trop trop, y sont ben recevants pis y savent prendre la vie par le bon boutte.

A part de d'ça, quand tu gagnes le sud, t'as des lacs

pis des riviéres en masse, t'as du bois pas mal, pis on a encore de la place pour mettre notre pollution, ça fait qu'y reste de la truite un peu partout, pis du lièvre, de la perdrix, du chevreu. Même que de temps en temps y en a qui voient des orignaux dans les hauts. Pis là je te parle pas des outardes pis des canards, ça je t'en ai parlé betôt.

Ah! C'est pas le paradis terrestre, mais dis ce que tu voudras, le Bas-du-Fleuve, c'est une belle place à vivre. Je te dis que l'automne de bonne heure, quand tu passes dans des rangs comme ceusses de Saint-Arsène ou ben de Saint-Jean-de-Dieu, c'est pas mal beau: t'as du grain pis du blé d'inde à pleines clôtures, des champs de patates à parte de vue, des pommiers, des belles granges ben propres ... Tu te promènes là-dedans, pis tu respires. Pis à part de d'ça je sais pas si t'as remarqué, mais les femmes sont pas laites pantoute, par icitte ... Un gars qui se plante sus le perron de l'église pis qui regarde sortir ça de la messe le dimanche au matin, y se rince l'oeil en maudit. Surtout quand y vente!

Mais je pense que la grosse différence, c'est le monde. Par icitte tu rentres à quèque part, un magasin, un bureau de poste, n'importe, pis le monde te parlent. C'est pas comme dans les villes ousque t'as tout le temps l'impression de déranger. Par icitte tu marches sus la rue, pis quand tu rencontres un quèqu'un, y te salue pis tu le salues. Pis quand tu rentres dans un magasin, y courent pas après toé pour que t'achètes au plus vite pis que tu sacres ton camp. Tu peux r'garder, tu parles du temps pis de la politique avec le marchand, tu prends du temps pour choisir ce que t'as besoin, tu marchandes un peu, pis quand tu r'pars t'es content.

C'est ça le gros bobo dans les villes: y sont trop pressés. Ca court à hue pis à dia comme des calvettes de fous toute la journée longue; ça fait qu'à force de se dépêcher de même y ont pus le temps de reconnaître le monde. Des vrés maudits énarvés. Par icitte on prend le temps de faire ce qu'on a à faire; ça doit être pour ça qu'on vit plus vieux pis que nos vieux sont plusse en santé.

Prends moé, par exemple, tu peux pas dire que pour mon âge j'ai l'air trop magané. C'est pas parce que j'ai pas travaillé fort; seulement j'ai toujours vécu à la grande air, j'ai jamais été fort sus les cannages, je fume ienque la pipe ... Pis je peux me vanter que c'est pas avec moé que les docteurs se paient des voyages en Floride.

Pour dire le vré, j'ai eu deux piqûres dans ma vie: une fois pour la grippe, pis une autre fois pour m'engourdir avant que le docteur Latendresse me sorte les plombs que le Georges Dion m'avait tirés dans le gras de jambe par accident. A part de d'ça, les pilules que j'ai pris tiendraient dans le creux de ta main. J'ai toujours eu une grosse santé, pis j'en remercie ben le bon Yeu.

Parce qu'entre toé pis moé, les hôpitaux pis les bureaux de docteurs, c'est pas des places que j'aime ben, ben. J'y ai été comme les autres, quand j'avais des parents qui étaient malades, mais j'ai jamais pu m'accoutumer aux odeurs de remèdes pis aux peurs que les gens se content quand y vont se faire soigner.

Une fois, je m'en rappelle, j'avais été obligé d'attendre une couple d'heures dans le salon du docteur Latendresse, parce que ma femme avait des troubles avec son manger pis quand on est arrivés là c'était plein de monde.

Y avait la mére Thophile, la femme du Nest à Liguori, le Jean Sirois, les deux vieilles filles Dion, pis d'autres que je me rappelle pas. Pis là ça parlait de leu's maladies, pis des maladies de leu' parenté, pis ce que le docteur avait donné à un, pis ce que le docteur avait faite à l'autre, pis envoie donc! C'est à qui c'est qui aurait eu la plus grosse maladie.

La femme du Nest était en famille, pis ma foi du bon Yeu ienqu'à écouter parler la mére Thophile pis les vieilles filles, ça a dû y ôter l'envie de coucher avec son mari pour le restant de ses jours. La mére Thophile contait quand elle avait pardu son troisième, pis comment c'est qu'alle avait été malade longtemps après son neuvième, pis quand a s'était faite opérer pour la grande opération, pis comment c'est que ça faisait mal; pis les vieilles Dion, ces deux viarges-là, passaient leu' temps à parler de l'évangile pis à dire que "tu enfanteras dans la douleur". La femme du Nest, c'te pauvre elle, alle était quasiment sans connaissance quand le docteur est venu la charcher.

Les deux vieilles Dion, c'est deux malades imaginaires. A les écouter parler, on se demande le yable comment ça se fait qu'y sont pas encore au cémitiére. A force de parler ienque de maladies, c'est rendu qu'y te sortent des mots à coucher dehors, y parlent quasiment comme les docteurs quand y savent pas ce que t'as pis qu'y essaient de te faire accrère qu'y le savent en te jargonnant des tarmes en latin pour que tu comprennes rien.

Les Dion, t'as ienqu'à leu' dire que tu connais quèqu'un qui a une telle maladie, pis tu peux être sûr que le lendemain y ont c'te maladie-là eux autres itou. Des vrés torvisses de folles ... mais des torvisses de folles qui sont rendues à bout d'âge. C'est à crère que la maladie imaginaire les consarve, ces deux corneilles-là!

Toujours! Pis le Jean Sirois, lui, pour en revenir à mon histoire, y s'était cassé un bras quèques semaines avant, pis là y venait se faire ôter son plâtre. Comme de raison, les bonnes femmes se sont mis à parler des cassages de bras pis de jambes pis de bassins, pis du monde qui s'étaient faite mettre dans le plâtre pis qu'en ôtant le plâtre y avaient le bras tout croche ou ben les jambes de travers, pis toutes des maudites affaires de même. Le Jean est venu blême comme un drap, une secousse j'ai quasiment pensé qu'y allait se sauver.

En tous cas moé j'ai dit à ma femme dans le creux de l'oreille: "Je te défends ben de dire pour quoi c'est faire que t'es icitte aujourd'hui". Autrement, si y aurait fallu qu'à dise que son manger y faisait tort, c'est ben pour le coup que les vieilles pis la mére Thophile y auraient présenté la mort pour dans trois semaines.

Tout ça pour te dire que les hôpitaux pis les bureaux de docteurs, c'est des places ousque je mets les pieds le moins souvent possible. J'ai pour mon dire que même si t'es pas malade, ienqu'à passer un bout de temps-là, tu viens quasiment à te demander si ta santé est aussi bonne que tu penses ...

Non mon jeune! Les meilleurs remèdes, c'est encore la grande air, du bon manger, pas trop de boisson forte pis pas trop de fumage; se coucher avec les poules pis se lever avec les coqs, pis surtout, jamais s'énarver pour rien. Un gars qui s'énarve pis qui se dépêche tout le temps, y peut pas faire autrement que venir sus les nerfs, pis là ça vient qu'y mange trop vite, pis là son manger passe pas pis y vient constipé, pis y dort mal, pis son coeur fatigue. Un gars qui se dépêche pas, y est toujours tranquille, y prend son temps pour manger, ça fait qu'y a pas de troubles avec ses intestins, y dort ben, son coeur travaille juste à sa capacité, pis y file ben.

Pis quand un gars file ben, y reste de bonne humeur. Ca fait que les autres autour de lui viennent qu'y sont de bonne humeur, ça se parle, ça rit ensemble, ça se conte des histoires, ça se donne un coup de main, pis ça fait une belle vie.

C'est comme ça qu'on est, nous autres, dans le Bas-du-Fleuve.

Vous autres dans les villes vous vous dépêchez tout le temps, ça fait que tu vois ça dans les rues tout le monde a le motton, parsonne se parle, parsonne rit, parsonne s'entr'aide, pis tout le monde ont l'air des vrais morts en vacances.

Moé je trouve ça ben triste dans le fond, mais que c'est que tu veux faire? On est toujours ben pas pour prendre tout le monde des villes pis les emmener par icitte, ça ferait trop de monde pis on viendrait que la ville serait icitte au lieu d'être ailleurs.

On est aussi ben de rester comme on est là, ça en fait toujours ben quèques-uns qui sont heureux dans le monde ...

CHAPITRE QUINZIEME

D'ailleurs y a une chose que je pense des fois en regardant faire le monde, pis je me dis que c'est triste pareil de voir tout le monde se dépenser autant ienque pour virer en rond. C'est compliqué à dire, je sus pas instruit à plein, pis je sais ben que j'ai de la misère à trouver les bons mots ... Mais ce que je veux dire, finalement, c'est que je trouve que tout un chacun travaille pour rendre les gens heureux, pis ça fait des cent pis des mille ans que ça dure, pis les gens sont jamais plusse heureux ni moins heureux pour tout ça.

On parle de progrès: pour sûr que c'est vrai que le monde ont faite du progrès dans le courant des années pis des générations. Mon grand-père, moé, y aurait jamais pensé qu'un beau jour ça serait possible de voler dans les airs comme des oiseaux; pis mon pére a jamais connu la télévision en couleurs; pis toé, mon jeune, tu vas voir des patentes que moé je sus même pas capable d'imaginer.

Faut dire itou que si on compare ça, le monde astheure sont mieux habillés -je parle pas de la mode, là, je parle que le linge est plus confortable-; le monde ont des maisons ben isolées, on se chauffe à l'huile ou ben au courant, on a des chars, la journée d'ouvrage est rendue à sept-huit heures pis la semaine à cinq jours, pis tout ça.

Mais le monde sont-y plusse heureux que v'la trois-quatre cents ans?

Prends d'autre chose: les systèmes de politique, les régimes, comme y appellent. Dans le temps de notre Seigneur, t'avais le César qui menait toute. Après ça t'as eu des rois, pis des empereurs comme Napoléon. Pis t'as eu des révolutions, ça a viré en républiques pis en démocraties. Pis t'as les communisses, pis les capitalisses, pis ben d'autres que je me rappelle pus leu' nom.

Mais la franche carabine, penses-tu que le monde sont plusse heureux ou moins heureux dans un régime que dans l'autre?

Moé je sais pas, c'est ben sûr que j'ai pas vécu plusse que l'espace d'une couple de générations, mais j'ai beau essayer de me rappeler pis repasser toute mon règne, y me semble qu'un dans l'autre le monde d'astheure pis le monde d'hier pis le monde d'avant hier, ça se vaut pas mal. En 1920, y avait des heureux pis des malheureux. Dans le temps de la crise, quand les salaires étaient à cinquante cennes par jour, y avait des heureux pis des malheureux. Dans le temps de la guerre pareil. Pis astheure c'est pareil.

C'est ben sûr que toé, tu dois te dire que c'était pas possible que du monde soient heureux en gagnant cinquante cennes par journée de 12 ou 14 heures d'ouvrage; pis je pense ben que toé, si tu serais pris comme ça, tu serais malheureux en calvette. Mais eux-autres? Y étaient pas plusse malheureux que ben des gens qui gagnent cinq piasses de l'heure aux jours d'aujourd'hui ...

Je vais aller ben plus loin que ça: prends les esclaves, dans l'ancien temps. C'est ben clair que nous autres quand on pense à ça, on trouve que ça avait pas de maudit bon sens, pis on se dit que les esclaves devaient être malheureux au coton. Mais ça, sais-tu, c'est nous autres qui le dit ... Nous autres, on serait malheureux si on se retrouverait esclaves aujourd'hui pour demain ... Mais dans ce temps-là, les ceusses qui étaient esclaves, je suppose qu'y s'accoutumaient, pis je serais porté à croire qu'y pouvaient être aussi heureux que n'importe qui. La preuve, c'est que les esclaves se suicidaient pas plusse que d'autres ... du moins à ce que je sais. Pis à part de ça, y devait y avoir des bons pis des mauvais maîtres dans ce temps-là comme y a des bons pis des mauvais boss astheure ...

Penses-tu que les communisses de Russie sont plus heureux que les anciens Russes? Moé je pense pas. Pis je pense pas que les Français de France sont plusse heureux astheure que v'là je sais pus comment de temps, quand y avaient des rois ou ben des empereurs.

Vois-tu, mon ti-gars, y a ben des choses de changées tout le tour des hommes, mais dans le fond j'ai pour mon dire que les hommes, eux-autres, y changent pas pantoute. Pis le bonheur c'est nous autres qui le fait ou qui le défait, c'est pas les bébelles pis les inventions qu'y a autour de nous autres.

Moé, le progrès, je crois à ça; les sciences, pis tout ça, je trouve ça ben intéressant. Seulement je crois pas que le progrès pis les sciences peuvent rendre les gens plusse heureux. Un homme, c'est quasiment comme un panier pas de fond: t'as beau y donner des progrès pis des nouveautés tant que tu voudras, à mesure que tu le remplis par en haut y se vide par en bas ... pis le panier reste toujours le même, malgré tout ce qui passe dedans.

Un coup parti à parler en parabole, je pourrais continuer en disant qu'un homme, c'est comme une planche de bois: t'as beau la peinturer couche par-dessus couche, ça va la changer de couleur temporairement, mais ça va tout le temps rester une planche de bois.

Tout ça pour dire que moé, les politiciens pis les grands penseurs pis toutes les ceusses qui parlent du "bonheur de l'humanité" pis qui veulent améliorer la "condition humaine", comme y disent, ben je les trouve drôles pas mal. Parce que d'après moé, essayer de faire le bonheur de l'humanité, c'est comme le saint qui essayait de transvider la mer dans un petit trou de sable ...

Ce qui me surprend tout le temps, c'est de voir qu'y a encore des gens qui essaient. A chaque génération, ça manque pas: y se trouve toujours une couple d'illuminés qui se mettent à vouloir changer les régimes pis revirer le monde à l'envers, pis c'est toujours pour le "bonheur de l'humanité".

Le plus comique c'est que quand tu les approches, ces gens-là, ben y ont pas trop trop l'air heureux eux-autres mêmes ...

Non, moé, pour moé, ce qui est important, c'est d'essayer de faire notre bonheur à nous autres, pis autant que possible autour de nous autres.

Le reste ... ben le reste, c'est ienque du rêve !

LES MEILLEURES CHOSES...

Comme dit le proverbe, même les meilleures choses ont une fin. Le Vieux se tut sur cette dernière parole de sagesse, et je sentis qu'il avait fini son "parlage". Il se recula un peu sur sa chaise et lui imprima un mouvement plus large de va-et-vient. Je débranchai le magnétophone.

A ce moment précis, comme avertie par quelque mystérieuse communication, la Vieille arriva de son assemblée et, tout heureuse de me trouver encore là, s'empressa d'ôter son chapeau et de passer un tablier. En babillant gaiement, elle nous dressa un copieux réveillon que j'acceptai avec un peu de confusion et beaucoup de gourmandise.

Pendant que nous mangions, le Vieux ne parla pas. Il écoutait sa Vieille raconter les derniers travaux des Dames Fermières, et ses yeux étaient pleins de fierté et d'amour.

Il était heureux.

Et c'est la dernière image qui me reste de lui: un Vieux grand homme, droit comme un arbre, la tête blanche et l'oeil pétillant, avec dans toute son expression la sérénité merveilleuse du bonheur.

Cela, ni le magnétophone ni mes modestes talents ne peuvent le transmettre pleinement.

VOCABULAIRE

- A -

ABATS (se faire aller les): Lancer ses membres dans toutes les directions, faire de grands gestes désordonnés.

ACCOTER (quelqu'un): Supporter, prendre le parti de.

ACCOTER (s'): Vivre en concubinage.

ACCRERE (faire): Faire croire; faire des accrères: raconter des mensonges.

ADON: Coïncidence, hasard généralement heureux.

ADONNER: Convenir; si ça vous adonne: si ça vous convient.

AFFILER: Affûter.

AILE (ramasser par): Bras. Accrocher vivement par un bras.

ALLER AVEC SA FEMME: Faire l'amour.

ALLUMEUR: Briquet.

AMANCHURES: Terme assez indéfini, pouvant se traduire par "trucs".

ANCHES: Vers de terre.

ANNONCEUR: Animateur, présentateur (à la radio ou à la télévision).

AREOPLANES: Avions.

ARRACHER LA VIE (s'): Manger suffisamment pour subsister; réussir à survivre.

ASTHEURE: A cette heure; maintenant.

ASTINER: Discuter avec obstination.

AU COTON: Beaucoup, jusqu'au bout. Etre au coton: être épuisé.

AUJOURD'HUI POUR DEMAIN: A un moment donné, éventuellement.

AVOIR LE MOTTON: être triste, faire la (grosse) gueule.

- B -

BACAISSE: Femme, généralement grosse; souigner la bacaisse: faire tourner sa partenaire en dansant.

BACUL (chier sur): Refuser un défi; refuser après avoir d'abord accepté; reculer devant l'obstacle.

BAGATEME: Juron, atténuation de "Baptême".

BALEUR: De l'anglais "boiler", grande bouilloire de fonte.

BALONE: Mortadelle.

BAROUETTER (d'un bord pis d'l'autre): Promener à gauche et à droite de façon désordonnée.

BARRER (une porte): Fermer à clé.

BAS DE FEUTRE: Sorte de lourde chaussette en feutre que l'on enfilait sous des bottes d'hiver.

BAS-DU-FLEUVE: Région du Québec comprise entre la Gaspésie et la Côte-du-Sud, soit en gros de La Pocatière à Matane.

BAVETTE DU POELE: Panneau mobile du four dans les anciens poêles à bois. Les pieds sur la ...: à la chaleur, confortablement installé.

BAZOU: Vieille auto en piètre condition.

BEBELLES: Jouets; objets inutiles.

BEC: Baiser.

BECOSSE: Lieu d'aisance (de l'anglais "back house").

BELUET: Bleuet.

BETOT: Tantôt, bientôt.

BEUGLE: Cri, hurlement.

BINES: Fèves au lard (de l'anglais "beans").

BLANC (p'tit): Whisky, souvent de fabrication domestique et ... clandestine.

BLEUS: Membres du parti conservateur ou de l'Union nationale.

BLOC (avoir mal au): Tête. Avoir une (forte) migraine.

BOBETTES: Caleçons courts.

BOIS DEBOUTTE: Bois non coupé. Une terre en bois deboutte: très grande valeur.

BONNE VIARGE: Juron.

BOUCANE: Fumée.

BOULE: Homme fort et habile à se battre. De l'anglais "bully".

BOULEDOZEUR: Bélier mécanique; de l'anglais "bulldoyer".

BOUTTE: Bout.
BRAILLER: Pleurer, se plaindre.
BRAQUE: Fou; écervelé.
BROSSE (sur la): En état d'ébriété.
BROUE: Ecume, bouillons de l'eau ou d'un liquide. Péter de la broue: en jeter, se vanter.
BUTIN: Linge, vêtements; plus généralement: ensemble des biens appartenant à une personne.

- C -

CABANER (se): S'enfermer à l'abri; littéralement: se réfugier dans une cabane.
CABOCHE: Tête.
CALE (à pêche): Objet servant à tenir l'hameçon enfoncé sous l'eau: soit une vis ou un vieux boulon, soit un plomb fabriqué en série.
CALER (se): S'enfoncer, se mettre dans l'embarras.
CALVETTE: Juron (atténuation de "calvaire").
CANNAGES: Aliments en conserve.
CANNE: Boîte de conserve.
CAPOT: Manteau. Capot de chat: manteau de raton-laveur, familièrement appelé "chat sauvage".
CARABINE (franche): Pour dire la vérité vraie; certainement.
CARIBOU: Boisson composée d'un mélange d'alcool et de vin rouge.
CARRIOLES: Voitures d'hiver à traction animale.
CARTAIN: Certain.
CASSE DE CREMEURE: Chapeau de mouton de perse.
CATIN: Poupée.
CEGEUP: Cegep; Collège d'enseignement général et progessionnel.
CEMITIERE: Cimetière.
CENNE: Sou (de "cent").
CHAMBARDER: Mettre en désordre, mettre sans dessus-dessous.
CHANTER LA POMME: Conter fleurette.
CHANTER POUILLE: Chercher noise, injurier.
CHAR: Automobile.
CHARS (gros): Train; ligne de chemin de fer.
CHASSIS: Fenêtre.
CHESEUSE: Sécheuse.
CHETI: Déformation de "chétif"; faible, maladif.

CHEUVREU: Chevreuil; cerf de Virginie.
CHIALEUX: Eternel mécontent, braillard.
CHIARD: Hachis de pommes de terre et de lard; le chiard pogne: la situation tourne au vinaigre.
CHICOTER: Inquiéter.
CHIENNE (ben): Très ordinaire, très commun.
CHIENNE A JACQUES (habillé comme la): Mal vêtu; vêtu comme un bouffon.
CHIER SUR LE BACUL: Voir "bacul".
CHIGNON DU COU: Nuque.
CHIQUER LA GUENILLE: Chicaner, s'objecter, injurier.
CINQ FRERES: Le poing. Les cinq frères sont les cinq doigts.
CIPATE: Mets composé de rangs superposés de pâte, de pommes de terre et de viande ou de poisson.
CLOQUE: Manteau long.
COFFRES (de culottes): Revers de pantalon.
COLON: Pris au sens péjoratif; béotien, rustre.
COMBINAISON OUATEE: Caleçon long, doublé de ouate; sous-vêtement d'hiver.
COMPAGNIE: Compagne ou compagnon.
CONTER DES PEURS: Raconter des histoires plus ou moins vraisemblables; exagérer.
CORDEAUX: Guides (d'un cheval attelé).
CORPS DE LAINE: Gilet de corps en laine.
CORTONS: Cretons; sorte de pâté de viande.
COUETTE: Mèche de cheveux; parfois: ensemble de la chevelure.
COULANT: Glissant.
COUPER LE SIFFLETTE: Interrompre; interloquer, déconcerter.
COURANT: Electricité.
COUVARTURE: Toît d'une habitation; sommet du crâne.
CREDITISSES: Membres du parti du Crédit social.
CRERE (faut): Il faut croire; probablement.
CRIANT LAPIN (en): Facilement; en criant ciseaux.
CRIARD: Klaxon.
CRIATURE: Femme ou jeune fille.
CRIGNE: Chevelure.
CRINQUE: Camion-remorque; grue mécanique.

- D -

DEFAITE (donner une): Se donner une raison de ne pas faire une chose; opposer un refus diplomatique.

DEFLAYER: Ouvrir sa braguette (de l'anglait "fly").

DESAMER (se): Fournir un effort excessif; se donner une peine immense pour ...

DESSOURE: Sous; dessous.

DEUX: Sous entendu "piasses"; billet de deux dollars.

DEVISSER: Lever à bout de bras sans élan, par la seule force et sans technique.

DEVOIR LE DARRIERE: Etre endetté jusqu'au cou.

DIEU-SEUL-ME-VOIT: Masturbation.

DIGUE DE ROCHES: Amas de pierres ramassées dans un champ et entassées.

DIGUIDOU: Pénis.

DODICHER: Caresser.

DOPER: Intoxiquer; droguer.

DOUZE: Fusil de calibre "12".

DRETTE: Droit; exactement.

- E -

ECARTILLER (s'); Ecarter les jambes; figuré: entreprendre plus qu'on est capable de réaliser, dépenser plus que de raison.

ECHALOTE: Echalas.

ECHAUFFEES (petites): Jeunes filles en mal d'amour; impudentes et impertinentes.

ECHOUSSER: Enlever les souches.

ECOURTICHE: Cours; se dit d'une femme dont la robe est très courte.

ECRASER (s'): Se taire, se calmer.

EFFETS: Marchandises diverses.

EFFOIRER (s'): S'affaler, tomber, au moral comme au physique.

EGAROUILLE: Dispersé; rendre confus.

EJARRER (s'): Littéralement: travailler du jarret; faire de grands mouvements désordonnés.

EMPECHER LA FAMILLE: Pratiquer la contraception.

EN CRIANT LAPIN: Voir "Criant lapin (en)".

ENFANT-DE-CHIENNE: Juron.

ENFIROUAPER: Duper, entortiller de paroles trompeuses.
ESCOUER: Secouer.
ETAMPER: Plaquer; appliquer avec violence.
ETRANGES: Etrangers.
ETRE EN MOYENS: Avoir de la fortune, être riche.
ETRIVER (faire): Agacer, faire fâcher.
EVENTER LES CRIS: Crier très fort et sans retenue.
EXPOSER (un mort): Mettre sur les planches, organiser une chapelle ardente.

- F -

FAIRE DE LA BROUE: En jeter, se vanter.
FAIRE DE L'EAU: Uriner.
FAIRE DUR: Avoir du front, être peu recommandable; être laid.
FAIRE LE TRAIN: Accomplir les tâches quotidiennes de la ferme.
FAIRE NI CHAUD NI FRETTE: Etre indifférent.
FAIRE NI UNE NI DEUX (pas): Sans hésitation.
FAIRE PATATE: Rater, manquer son coup.
FAISEUX DE PORTRAIT: Photographe.
FALLE BASSE (avoir la): Avoir faim, avoir l'estomac dans les talons.
FAMILLE (tomber en): Devenir enceinte.
FANAL (grand): Grand dadais.
FANIL: Fenil.
FELUETTE: Fluet.
FENDRE LE CUL (se): Se donner beaucoup de mal.
FENDRE SES CULOTTES: Faire un effort trop violent; outrepasser ses capacités.
FIFI: Homosexuel.
FILEE: File, rangée.
FILER (doux): Rester tranquille, se sentir mal à l'aise.
FILE FIN: Maigre, gracile.
FINANCE (sur la): Etre constamment endetté.
FIOLE (poteau de téléphone): Isolateur.
FLANCS-MOUS: Fainéant.
FLANALETTE: Tissu de flanelle fine. Elever dans la flanellette: gâter, élever douillettement.
FOI DE PIQUETTE (ma): Ma grand'foi, sur mon honneur.
FONNE: Plaisir (de l'anglais "fun").
FORT: Boisson alcoolisée autre que de la bière.

FORTILLER: Se trémousser.
FOSSE (s): Canal d'écoulement des eaux.
FOU (lâcher son): Se laisser aller à son exubérance, lâcher sa gourme.
FOULEUX (de foin): Personne qui, montée sur le wagon à foin, piétine celui-ci pour le tasser.
FOURCHON: Fourche; entrejambe.
FRANCHE CARABINE: Voir "carabine (franche)".
FREMME: Châssis, structure.
FRETTE: Froid.
FRETTE (rester): Etre éberlué, rester pantois.
FROQUE: Manteau court; vareuse; canadienne.

- G -

GAGNE: Bande, groupe (de l'anglais "gang").
GALERIE: Perron.
GALFETTER: Calfeutrer.
GALLE (sur le nombril): Avoir encore une galle sur le nombril, c'est être trop jeune pour participer aux conversations ou aux décisions des adultes.
GAMIQUE: Organisation, truc indéterminé; synonyme de "patente".
GANDOLE: A l'abandon. Laisser aller en gandole: laisser se détériorer, laisser à l'abandon.
GARGOTON: Gorge.
GARROCHER: Lancer.
GAZETTES: Journaux.
GNOCHON: Bête, sans intelligence.
GOESELLE: Groseille.
GORLOTS: Grelots.
GOUDRON (de bouteille): Goulot.
GOUT DE TINETTE (prendre): Durer trop longtemps.
GRAFIGNER: Egratigner.
GRAISSER (se): Faire de l'argent, généralement de façon malhonnête. Même sens que dans l'expression "graisser la patte".
GRAND: Dans certains cas, signifie "beaucoup". Ex: je ne récolterai pas grand avoine cet automne.
GRANDE (se lâcher en): Se lancer à fond de train.
GRAS DE JAMBE: Mollet.
GREMENTS (de pêche): Ensemble des appareils utilisés pour la pêche.

GRIMALDI: Jean Grimaldi, célèbre directeur de troupe. La plupart des artistes québécois ont participé aux tournées organisées par M. Grimaldi et se sont ainsi fait connaître.
GRANDE OPERATION: Hystérectomie.
GROS CHARS: Voir "Chars (gros)".
GROSSES POCHES: Grosses légumes, gens riches et (qui se croient) importants.
GUELING-GUELANG: Fla-fla.
GUENILLE (chiquer la): Voir "Chiquer la guenille".

- H -

HABILLE COMME LA (chienne à Jacques): Voir "Chienne à Jacques".
HABITANT (passer pour): Donner mauvaise impression, avoir l'air rustre.
HABITANT: Paysan, cultivateur. Parfois employé péjorativement.
HARSE A DI'QUE: Herse à disque.
HIN: Hameçon.

- I -

ICITTE: Ici.
IENQUE: Rien que; seulement.
IMITES: Limites.

- J -

JARNIGOINE: Intelligence, bon sens, jugement.
JEAN CREMETTE: Faraud, fat. Faire son Ti-Jean Crémette est synonyme de faire son frais chié.
JONGLER: Penser, réfléchir.
JOS CONNAISSANT: M. Je-sais-tout. Personne qui prétend tout savoir.
JOUAL: Cheval. Parler joual: parler le langage populaire des Québécois.
JOUQUEE: Perchée.
JOURNALEUX: Journaliste.

- K -

KODAK: Caméra.

- L -

LACHER DE L'EAU: Uriner.
LACHER SON FOU: Voir "Fou (lâcher son)".
LAITE COMME 7 CULS PENDUS SUS UNE CORDE A LINGE: Très laide; je dirais même très, très laide; laide comme les 7 péchés capitaux.
LANTERNE: Antenne.
LITTE: Lit.
LOUSSE: Insuffisamment serré ou ajusté. Lâcher lousse: laisser aller sans retenue.

- M -

MAGANER: Faire souffrir, faire des difficultés.
MAL AU BLOC: Migraine.
MANQUABLEMENT: Probablement.
MARGOULETTE: Mâchoire inférieure; menton.
MARLE (moyen): Merle; drôle de numéro.
MASSES: Poings. Ex.: les masses en l'air.
MERISE: Petit fruit sauvage du merisier.
METTRE DU LARD SUR LES EPINGLES: Engraisser; mettre de la chair sur les os.
METTRE LA MISE AU BOUT DU FOUETTE: Exagérer; mettre le comble.
METTRE SUR LE CHEMIN: Ruiner.
MI-CAREMES (habillés comme des): Vêtus comme des bouffons; vêtus de façon ridicule.
MINUIT (la): Messe de minuit.
MIQUELON: Alcool fabriqué aux Iles St-Pierre et Miquelon, dont la qualité proverbiale semble encore augmentée s'il est importé en contrebande.
MOPOLOGISTE: Terme prétentieux pour désigner un préposé à l'entretien ménager, chargé de passer la vadrouille.
MOPPE: Vadrouille.
MOTTON (avoir le): Etre triste; faire la (grosse) gueule.
MOUCHES A MARDE: Synonyme de mouches à miel; parasites.

- N -

NANANE: Bonbon.
NONO: Niais; sot.
NOUEL: Noël.

- O -

OREILLE DE CHARRUE: Versoir de charrue.

- P -

PANTOUFLE: Sexe féminin.
PANTOUTE: Pas du tout.
PAPARMANES: Bonbons durs à la menthe.
PAQUESAC: Havresac.
PAQUETER (se): Manger à satiété: se paqueter la panse; boire plus que de raison, s'enivrer: se paqueter la fraise, être paqueté comme un oeuf à deux jaunes.
PAROLIES: Façon de parler; manière de dire.
PARTIR EN PEUR: S'énerver; en faire trop.
PASSER POUR UN HABITANT: Voir "Habitant (passer pour)".
PASSER UN PAPIER: Garantir; affirmer avec conviction; assurer.
PASSER UN SAPIN: Duper; tromper.
PATARAFES: Expressions compliquées, manière de dire.
PATATE (faire): Voir "Faire patate".
PATENTES: Choses ou organisations indéterminées; trucs; synonyme de gamique.
PATRON (un vrai): Une beauté; femme au physique remarquable.
PAUL-JONES: Sorte de danse.
PLAQUE-FORME: Plate-forme.
PEDELEUR: Colporteur.
PEIGNURES: Coiffures.
PETER DE LA BROUE: En jeter, se vanter. Voir "Faire de la broue".
PETEU: Sexe.
PETEU DE BROUE: Vantard.

PEURS (conter des): Voir "Conter des peurs".
PIASSE (faire la): Faire de l'argent.
PINOTTES EN ECALES: Arachides dans leur écale.
PIQUETTE (foi de): Voir "Foi de piquette".
PISSER: Refuser le combat.
PISSETTE: Pénis.
PISETTES D'AGNELLES: Cigarettes.
PLEINE: Enceinte.
PLUSSE: Plus.
POCHES (grosses): Voir "Grosses poches".
POCHUS: riches; parvenus.
POGNER: Prendre; émouvoir.
PONGE (de gin): Préparation de gin, d'eau chaude et de sucre ou de gin et d'eau froide.
PORTE-CROTTE: Postérieur; fesses.
POSES: Photos.
POUDRER: En parlant du vent, souffler en soulevant la neige.
POUILLE (chanter): Voir "Chanter pouille".
POUX SUR LE DOS D'UN CHIEN (vivre comme): Vivre en parasite.
PRENDRE UN COUP: Boire; prendre un verre.
PRIS (rester): Enlisé, par exemple: enlisé dans la neige.

- Q -

QUATRE-LAYETS: Nom familier donné à une bottine courte en caoutchouc comportant quatre oeillets.

- R -

RAGLER: Promener.
RAMASSER PAR UNE AILE: Voir "Aile".
RASE-TROU: Se dit d'une jupe très courte.
REINQUIER: Rein; dos.
RESIGNER: Donner sa démission; abandonner un emploi ou un poste.
RESSOUDRE: Arriver soudainement.
RESTER FRETTE: Voir "Frette (rester)".
RESTER PRIS: Voir "Pris (rester)".
ROBEURE: Caoutchouc.
ROND (à patiner): Patinoire.

RONNE (dans le bois): Saison de travail; paie totale pour une saison.
RONNER: Diriger, conduire.
R'PARER: Parer.
ROUGES: Membres du parti libéral.
ROULE DE VIE: Train de vie.
ROUTE 20: Autoroute traversant le Québec.
R'VIRER LE CUL A LA CRECHE: Changer d'idée, se buter dans une attitude négative.

- S -

SACOCHE: Sac à main.
SACOCHE A PAPIER: Serviette, porte-documents.
SACREMENT: Juron.
SACRER: Lancer, jeter. Sacrer dehors: jeter dehors.
SANS CONNAISSANCE: Inconscient, pâmé.
SARMANT: Serment.
S'ARRACHER LA VIE: Voir "Arracher la vie".
SARVICE SOCIAL: Service social; organisme de secours aux économiquement faibles.
SARVIR LES VACHES: Pour un taureau, s'accoupler.
SEANCES (à l'école): Soirées théâtrales, soirées d'amateurs.
SE BRASSER COMME DES QUEUES DE VEAUX: Se trémousser sans retenue, avec frénésie.
SE CABANER: Voir "Cabaner".
SE CALER: Voir "Caler".
S'ECARTILLER: Voir "Ecartiller".
SE CONTER DES PEURS: Voir "Conter des peurs".
S'ECRASER: Voir "Ecraser".
SE DESAMER: Voir "Désâmer".
SE DEVOIR LE DARRIERE: Voir "Devoir le darrière".
SE FENDRE LE CUL: Voir "Fendre le cul".
S'EFFOIRER: S'affaisser, physiquement ou moralement.
SE GRAISSER: Voir "Graisser".
S'EJARRER: Voir "Ejarrer".
SE METTRE SUR LE CHEMIN: Se ruiner.
SE PAQUETER: Voir "Paqueter".
SE PASSER UN DIEU-SEUL-ME-VOIT: Se masturber.
SETS (carrés): Danses populaires du Québec.
SIFFLETTE (couper le): Voir "Couper le sifflette".

SIMONAK: Juron.
SKI-DOO: Motoneige.
SMATTE: Gentil, bienveillant.
SOLEIL (le): Quotidien de Québec, distribué dans le Bas-du-Fleuve.
SOUIGNER LA BACAISSE: Voir "Bacaisse".
SOUVENANCES: Souvenirs.
SPARAGES: Grands gestes désordonnés.
STATION: Gare de chemin de fer.
ST-MICHELS: Arbustes.
STRAPPE A RASOIR: Courroie de cuir sur laquelle on repasse le tranchant d'un rasoir.
SUCRE DU PAYS: Sucre d'érable.
SUMELLES: Semelles.
SUMENCES: Semences.
SUR LA BROSSE: Ivre; en état d'ébriété.

- *T* -

TALLE: Touffe (d'arbustes).
TAPETTE: Homme efféminé; homosexuel.
TAPON: Tas, amas.
TARAUDER SUS TOUTES LES BORDS: Tenter de convaincre par tous les moyens.
TARMES: Termes.
TASSERIE DE FOIN: Espace destiné, dans une grange, à la réserve de foin.
TAVARNE: Taverne.
TETE A PAPINEAU: Intelligent.
TINETTE (goût de): Voir "Goût de tinette".
TIRER LES VACHES: Traire les vaches.
TOMBER EN FAMILLE: Devenir enceinte.
TOPPES DE CIGARETTE: Mégots de cigarettes.
TORRIEU: Juron; déformation de "Tord-Dieu".
TORVISSE: Juron.
TRAPPE: Bouche. Ex.: se fermer la trappe.
TREMBLER DANS SES CULOTTES: Avoir peur, craindre.
TRENTE SOUS: Pièce de monnaie valant vingt-cinq sous.
TRIMER: Arranger, faire son affaire.
TRONE: Toilette; trôner: déféquer.
TROUFIGNON (se tortiller le): Marcher en balançant les hanches.

- U -

UNIONS: Associations syndicales.

- V -

VAILLOCHE: Amas de foin dans les champs.
VA-VITE: Diarrhée.
VIARGE: Juron.
VIRER: Tourner.
VIRER EN DESSOURE: Déraper; perdre de l'argent.
VIVRE COMME DES POUX SUR LE DOS D'UN CHIEN: Vivre en parasite.
VOCHEWAGINE: Volkswagon.

- Y -

YABLE: Diable.
YABLE EST AUX VACHES (le): Tout va mal, tout va de travers.
YABLE VERT (au): Au bout du monde, à un endroit éloigné.

table des matières

Avant-propos P.9
Chapitre premier P.13
Chapitre deuxième P.19
INTERMEDE P.27
Chapitre troisième P.29
INTERMEDE P.37
Chapitre quatrième P.39
INTERMEDE P.55
Chapitre cinquième P.57
Chapitre sixième P.67
Chapitre septième P.77
INTERMEDE P.85
Chapitre huitième P.87
Chapitre neuvième P.93
Chapitre dixième P.103
Chapitre onzième P.107
INTERMEDE P.113
Chapitre douzième P.115
Chapitre treizième P.123
INTERMEDE P.131
Chapitre quatorzième P.133
Chapitre quinzième P.139
INTERMEDE P.143
Vocabulaire P.145

CHEZ LE MEME EDITEUR

Almanach Castelriand (annuel, paraît début-février).
Recettes du Grand-Portage, par les Dames de L'AFEAS de Rivière-du-Loup.
Personnalités de Rivière-du-Loup.
Guide Castelriand (annuel, paraît début-septembre).
Coloriez le Québec, Tome I
Témiscouata, Mots et Images, par Micheline Raymond.
Bricolo-Recettes, Tome 1, par des Femmes de chez-nous.
Recettes de Colombine.
Perce-Neige (poèmes), par des gens du Témis.
Biographies de l'Isle-Verte.
Les yeux d'orage (Nouvelles), par Richard Levesque.
L'homme face à l'énigme des OVNIs, par Réginald Marquis.
Le Dernier Piège (Histoires de chasse et de pêche), par Marc-André Plante.
Drôle de Golf, par Joseph Rilev.
Autour de nos clochers (Petite histoire de nos paroisses).
Retour à la Vie normale, par Jacques Pelletier.
Petit coin perdu, par Lina Madore.
Biographies de Cacouna.
Pierres Vives, par Viateur Beaupré.

EN PREPARATION

Bouquet de pensées, par Adrienne Bossé.
Une entaille dans le passé (Histoires de bûcherons Témiscouatains), par Micheline Raymond.
Les Mirages de la distance, par Marion Bélanger.
Où est le trou du Rocher percé?, par Roseline Grand'Maison.
Raphaël D'Argencourt et fils (Derrière le comptoir), par Marc-André Plante.
Petites histoires pour dire bonsoir (Histoires enfantines), par Hélène Carle Marquis.
Ceux qui les ont vus ... (OVNIs), par Réginald Marquis.
Un enfant, par Claudette Caron Côté.